Selected Material from

Workbook and Laboratory Manual Part 1
to accompany
Débuts: An Introduction to French

H. Jay Siskin
Cabrillo College

Ann Williams-Gascon
Metropolitan State College, Denver

Nancy Virtue
Indiana University – Purdue University Fort Wayne

Elise C. Leahy, Jr.
Southern Utah University

 Custom Publishing

Boston Burr Ridge, IL Dubuque, IA Madison, WI New York
San Francisco St. Louis Bangkok Bogotß Caracas Kuala Lumpur
Lisbon London Madrid Mexico City Milan Montreal New Delhi
Santiago Seoul Singapore Sydney Taipei Toronto

The McGraw-Hill Companies

Selected Material from
Workbook and Laboratory Manual Part 1 to accompany
Débuts: An Introduction to French

67890 GDP GDP 098765

ISBN 0-07-294929-5

Editor: Robin Havens
Production Editor: Kathy Phelan
Cover Design: Maggie Lytle
Printer/Binder: Greyden Press

Table des matières

To the Student

Welcome to Part 1 of the *Workbook and Laboratory Manual* that accompanies **Débuts: An Introduction to French**. Each chapter of the *Workbook and Laboratory Manual* is based on the corresponding chapter of the textbook, so that you may practice and review on your own what you are learning in class.

To get the most out of the *Workbook and Laboratory Manual*, you should work on the exercises *after* your instructor covers the corresponding material in class.

INTEGRATED AUDIO AND WRITTEN ACTIVITIES

Because your different senses and skills (listening, speaking, reading, and writing) reinforce one another, the *Workbook and Laboratory Manual* includes exercises that strengthen and integrate all four skills. Audio activities are interspersed with those having only printed cues. Special sections focusing on pronunciation, written composition, and culture are also included.

Listening and pronunciation activities, which may have either written or oral responses, are coordinated with the Audio Program. You will need the *Workbook and Laboratory Manual* much of the time when you listen to the recordings, because many of the exercises are based on visuals and written cues.

Audio activities are marked with a headphone symbol 🎧 . Take the time to listen to the Audio Program activities more than once: They will help you learn French more quickly.

You can use the Audio Program at home or at your school's language laboratory. If you wish, you can purchase your own copy of the Audio Program at your campus bookstore, or by calling 1–800–338–3987 and asking for item number 0-07–249929-X (Student Audiocassette Program Part 1) or 0-07–249930–3 (Student Audio CD Program Part 1).

Written activities include a variety of multiple choice, matching, fill-in, and open-ended questions that give you a chance to practice your vocabulary, grammar, and reading and writing skills. Many include drawings that will help you know how to respond. The composition activities, called *À écrire*, are marked with a pencil symbol ✏️ .

ORGANIZATION

The structure of the preliminary chapter (**Chapitre préliminaire**) of the *Workbook and Laboratory Manual* parallels that of the textbook chapter, except that it also includes two sections called **Prononciation et orthographe** and **Dossier culturel** (see descriptions of these two sections within the bulleted list). **Chapitres 1–11** are organized as follows:

- **Vocabulaire en contexte** allows you to practice the thematic vocabulary of each chapter. This section, like the one in the textbook, is divided into subsections that focus on specific topics.
- **Visionnement 1** helps you to practice your reading and listening skills as you review the content of the video episode. Additional background stories on each of the main characters in the film are included, with accompanying comprehension exercises.
- **Prononciation et orthographe** presents the basic principles of French phonetics and spelling through concise rules, tips, and exercises. You will learn to distinguish specific sounds when you hear them and to pronounce them yourself.
- **Structure** sections practice each grammar point presented in the corresponding section of the main text. For relevant grammar points, pronunciation and its implications for meaning are both presented and practiced.

- **Regards sur la culture** offers you additional reading material and exercises that expand on the cultural readings in the main text.
- **Visionnement 2** offers you a chance to look in detail at cultural information that enriches the film episode.
- **À écrire** leads you through a systematic process for writing longer compositions, beginning with several planning steps and ending with self-editing.
- **Dossier culturel** helps you research and report on cultural topics introduced in the main text. By doing these activities, you will create a personal file of cultural information. Web links for the activities are provided on the **Débuts** website at **www.mhhe.com/debuts.**

ANSWERS

Answers to most written exercises (including Audio Program exercises having written responses) appear in the **Appendice** section at the back of this manual. No answers are provided for written exercises requiring personalized responses, nor for oral Audio Program exercises (because those responses are confirmed on the recording itself).

ACKNOWLEDGEMENTS

The authors wish to express their deepest thanks to the people who have contributed to the publication of this *Workbook and Laboratory Manual*, especially to

- David Lang, the screenwriter for the film *Le Chemin du retour*, who wrote background stories about the characters in the film to be used as the basis of the **À propos des personnages** activity in each **Visionnement 1** section.
- Bill VanPatten, who provided the original idea for the **À propos des personnages** readings and exercises.
- Rachèle Lamontagne, who researched and wrote the **Dossier culturel** activities that appear at the end of each chapter.

Finally, many others contributed to the editing and production of this *Workbook and Laboratory Manual* and their dedication, creative ideas, and hard work are greatly appreciated: David Bohn, Tamar Danziger, Rich DeVitto, Thalia Dorwick, Michelle-Noelle Magallanez, Véronique Munier, Leslie Oberhuber, Veronica Oliva, Peggy Potter, Holly Rudelitsch, David Staloch, Louis Swaim, and Cici Teter.

Chapitre préliminaire

Ça tourne!

Vocabulaire en contexte

Les salutations

A. **En français!** You will hear two expressions. Repeat the one that matches the English meaning that you see.

> MODÈLE: You see: my name is
> You hear: je m'appelle / à bientôt
> You say: je m'appelle
> You hear: je m'appelle

1. Pleased to meet you.
2. Very well.
3. How's it going?
4. Hi! 'Bye!
5. Hello.
6. ma'am
7. See you soon.
8. Thank you.

B. **Voisins. (*Neighbors*.)** Listen to the following dialogue between new neighbors. You will hear the passage twice. The first time, simply listen. When you hear the dialogue the second time, fill in the blanks with the missing words.

MARIE: Bonjour, _____.[1]

M. DENIS: Bonjour, _____.[2] Vous êtes bien (*Are you*) Mademoiselle Simon?

MARIE: Oui, _____[3] Marie Simon.

M. DENIS: _____,[4] mademoiselle.

_____?[5]

MARIE: Très bien, merci. _____,[6] monsieur?

M. DENIS: _____,[7] mademoiselle.

C. **Ça va?** Complete the following short dialogues with an appropriate greeting or response. Use each expression only once.

Vocabulaire utile (*Useful vocabulary*):

À demain	Enchanté	monsieur
Ça va	Et vous	Très bien, merci, et vous

1. A woman greets M. Hanrez, the neighborhood baker.

FEMME: Bonjour, _____.

2. Chantal, a young girl, is speaking to her teacher, Mme Coste.

    CHANTAL: Bonjour, madame.
    MME COSTE: Bonjour, Chantal. _____?
    CHANTAL: Ça va très bien, merci, madame.

3. Two neighbors have just met at a party.

    ROLAND: Bonjour. Je m'appelle Isabelle Mercier. _____?

    OLIVIER: Je m'appelle Olivier Delhemme. _____, mademoiselle.

4. Two close friends say good-bye.

    HUGUES: Salut, Claire.
    CLAIRE: Salut, Hugues. _____!

5. Didier is speaking to his professor.

    PROFESSEUR: Comment allez-vous?

    DIDIER: _____?

D. Un dialogue. Use at least five French phrases to write a short dialogue. Start by identifying (in English) the relationship between the two speakers. Are they old friends, a mother and daughter, professional colleagues, something else?

Names of characters and their relationship

_____

Dialogue

_____
_____
_____
_____
_____
_____

*L*es nombres de 0 à 59

A. **Prononciation.** Practice the following rules about the pronunciation of numbers.

1. In counting, most numbers have a pronounced final consonant. But **zéro, un, deux,** and **trois** do not. Listen and repeat.

    zéro   un   deux   trois   quatre   cinq   six   sept   huit   neuf   dix

2. When **six, huit,** and **dix** precede a noun beginning with a consonant, their final consonants become silent. Listen and repeat.

    six crayons   huit chaises   dix cahiers

3. When numbers precede a noun beginning with a vowel sound, their final consonants are sounded, sometimes slightly differently than when spoken in counting. The consonant sound is attached to the vowel at the beginning of the noun. Listen and repeat.

un /n/enfant   six /z/enfants
deux /z/enfants   sept /t/enfants
trois /z/enfants   huit /t/enfants
quatre /R/enfants   neuf /f/enfants
cinq /k/enfants   dix /z/enfants

4. When **neuf** precedes the words **ans** (*years*) and **heures** (*o'clock, hour*), the final consonant is pronounced /v/. Listen and repeat.

neuf /v/ans   *nine years*
neuf /v/heures   *nine o'clock; nine hours*

5. The final consonant of **vingt** is silent when it stands alone or before a noun beginning with a consonant. When **vingt** precedes a noun beginning with a vowel sound and when it is combined with another number, the "t" is pronounced. Listen and repeat.

	vingt	vingt personnes	vingt-deux	
vingt acteurs	vingt et un	vingt-huit	vingt-cinq	vingt-neuf

B. Combien? (*How many?*) Listen carefully. The first time you hear the phrase, repeat it after the speaker. The second time you hear the phrase, write the number you hear in front of the item listed. Follow the model. *Note:* The **h** at the beginning of many French words is silent, so the word begins with a vowel sound.

MODÈLE: You see: _____ histoires
          You hear: cinq histoires
          You say: cinq histoires
          You hear: cinq histoires
          You write: _5_ histoires

1. _____ dollars   _____

2. _____ euros   _____

3. _____ monuments   _____

4. _____ étudiants (*students*)   _____

5. _____ oranges   _____

6. _____ ans   _____

7. _____ acteurs   _____

8. _____ enfants (*children*)   _____

9. _____ homme   _____

10. _____ films français _____

11. _____ livres (*books*) _____

12. _____ professeurs   _____

13. _____ personnages   _____

14. _____ jours (*days*)   _____

15. _____ femmes   _____

Now turn off the recording and spell out the numbers you heard in each item.

MODÈLE: _5_ histoires → _____ *cinq* _____

C. Quel ordre? (Which order?) Rearrange the following numbers in order from smallest to largest. Write the number next to the word, as in **treize**, which has been done for you.

cinquante-neuf   douze   seize
cinquante-cinq   onze   treize
dix-huit   quarante et un   trente-deux
dix-neuf   quatorze   vingt
dix-sept   quinze   zéro

_____   _____   _____

_____   _____   _____

_____   _____   _____

____*treize (13)*____   _____   _____

_____   _____   _____

D. Des numéros importants. Listen to the personal information that a student is giving to someone at his college. Write the numbers you hear. *Note:* In France, telephone numbers and other longer numbers are often given in pairs.

MODÈLE: You see: J'ai _____ ans. (*I'm _____ years old.*)
           You hear: J'ai dix-huit ans.
           You write: J'ai _*18*_ ans.

1. Mon anniversaire est (*My birthday is*) le _____ septembre.

2. Mon numéro de téléphone est _____.

3. Mon code postal est _____.

E. Les mathématiques. Answer each math problem aloud, then listen to verify your answer.

Vocabulaire utile: plus (*plus*), moins (*minus*), font (*equal*)

MODÈLE: You see: $45 - 5 = ?$
           You say: Quarante-cinq moins cinq font quarante.
           You hear: Quarante-cinq moins cinq font quarante.

1. $4 + 11 = ?$ 4. $3 + 21 = ?$
2. $30 - 10 = ?$ 5. $2 + 26 = ?$
3. $23 - 22 = ?$ 6. $40 + 10 = ?$

*D*ans la salle de classe

A. Qu'est-ce que c'est? (*What is this?*) Listen to the question and say what you see in the drawing. Then listen to verify your answer.

MODÈLE: You see:

              un stylo, un crayon, un bloc-notes
      You hear: Qu'est-ce que c'est?
      You say: un crayon
      You hear: un crayon

1. un sac à dos, un livre, un bloc-notes, un stylo

2. un étudiant, une étudiante, une classe, une femme

3. une calculatrice, une table, un laboratoire, un dictionnaire

4. un studio, un laboratoire, une salle de classe, une table

5. un livre, un cahier, un sac à dos, un stylo

6. un livre, un dictionnaire, un cahier, un bloc-notes

7. un professeur, un laboratoire, une camarade de classe, un acteur

B. Dans la salle de classe. Choose the word from the vocabulary list that is closest in meaning to the following words. Remember to include the word **un** or **une** with each one. Use each word only once. *Note:* One word will not be used.

Vocabulaire: un cahier, un dictionnaire, un étudiant, une étudiante, un homme, un laboratoire, un stylo, une université

MODÈLE: un camarade de classe →
un étudiant

1. un *Bic* _____

2. Harvard (aux USA) ou la Sorbonne (en France) _____

3. *Webster's* ou *Larousse* _____

4. une salle de classe pour des cours de sciences _____

5. un bloc-notes _____

6. une femme à l'université _____

7. un monsieur _____

Les mots apparentés et les faux amis

A. Quel mot? (Which word?) Listen to the following French cognates. From each list of three, choose the cognate you hear, repeat it aloud, and circle it.

MODÈLE: You see: poème poète poésie
You hear: poète
You say, then circle: poème (poète) poésie

1. personne   personnalité   personnel
2. armes   armistice   armée
3. art   artiste   artistique
4. forme   formel   formalité
5. professeur   professionnel   profession
6. signe   signal   signification
7. café   cafétéria   caféine
8. communication   communauté   commun

B. Mots apparentés. For each French word, write what you think the English equivalent probably is.

1. piano _____
2. discret _____
3. octobre _____
4. poème _____
5. autorité _____
6. hôtel _____
7. grammaire _____
8. bébé _____
9. omelette _____
10. sérieux _____

C. Le petit déjeuner idéal. Following is a French breakfast menu. Without consulting a dictionary, try to identify as many of the menu items as possible. Guess each category based on the foods listed.

CÉRÉALES OU PAIN	FRUITS	LAITAGE	BOISSONS CHAUDES
croissant Muesli pain au chocolat tartine	fraises jus d'orange pamplemousse	fromage lait yaourt	café chocolat chaud thé

INDIVIDUAL ITEMS

INDIVIDUAL ITEMS

CATEGORIES LISTED

_____   _____   _____

_____   _____   _____

_____   _____   _____

_____   _____   _____

_____   _____

_____   _____

Based on the words you have recognized, what would you order for breakfast?

_____

Prononciation et orthographe 🎧

La syllabation et le rythme

You have already seen many French words that are similar in spelling and meaning to English words, such as **professeur** and *professor*. Although the written forms look similar, their pronunciation is somewhat distinct.

In addition to the new sounds of the French language, you may have noticed another difference. In English words, one syllable is pronounced more prominently than the others: It is louder, or more stressed. The remaining syllables are pronounced less distinctly.

In French words, however, each syllable is pronounced with the same intensity. No syllable is more prominent than any other. The equal articulation of each syllable creates a rhythmic pattern called **l'égalité rythmique.**

Listen carefully to the pronunciation of the following cognates. Then, pronounce each one, giving equal prominence to every syllable. The examples will be repeated.

appartement	géographie
calculatrice	microphone
camarade	professeur
cinéma	sciences
dictionnaire	téléphone

Quelle langue? (*Which language?*) Listen to the speaker and circle the word you hear. Is it English, or is it French?

	ENGLISH	FRENCH			ENGLISH	FRENCH
1.	zero	zéro		6.	laboratory	laboratoire
2.	professor	professeur		7.	university	université
3.	dictionary	dictionnaire		8.	calm	calme
4.	table	table		9.	address	adresse
5.	class	classe		10.	telephone	téléphone

Structure 1

Est-ce... ? Qui est-ce? C'est... , Ce sont...

Identifying people and places

🎧 **A.** **Est-ce correct?** Answer the speaker's question about each picture with a sentence beginning with **Oui, c'est... , Oui, ce sont... , Non, ce n'est pas... ,** or **Non, ce ne sont pas... .** If the speaker mis-identifies the picture, continue your answer by giving the correct term. Then listen to verify your answer.

MODÈLE: You see:

You hear: Est-ce un cahier?
You say: Non, ce n'est pas un cahier. C'est une table.
You hear: Non, ce n'est pas un cahier. C'est une table.

1.

2.

3.

4.

5.

6.

7.

8.

9.

10.

B. Question/Réponse. Provide the appropriate question for each of the following answers. Use either **Qui est-ce?** or **Est-ce… ?** Imagine any appropriate question for item 7.

MODÈLE: Oui, c'est Boston. →
Est-ce Boston?

1. Ce sont M. et Mme Lecuyer.

   _____

2. Non, ce n'est pas Sylvain.

   _____

3. Ce sont maman et papa.

   _____

4. Oui, c'est une calculatrice.

   _____

5. C'est une étudiante.

   _____

6. Non, ce n'est pas un bloc-notes. C'est un cahier.

_____

7. Je ne sais pas. C'est peut-être (*perhaps*) Mme Cluny.

_____

Structure 2

Qu'est-ce que c'est?, les articles indéfinis et définis et les substantifs

Identifying and specifying people and things

 A. Prononciation. In order for listeners to know what gender you are using or whether you are talking about a singular or plural noun, you need to be able to pronounce the various articles clearly. Listen and repeat, trying to pronounce the French articles as much like the speaker as possible.

1. un / un
2. une / une
3. des / des
4. le / le
5. la / la
6. les / les

Now pronounce the differences in the pairs after the speaker.

7. un, une / un, une
8. le, les / le, les
9. le, la / le, la

B. Quel article? (*Which article?*) Listen carefully to the phrases and circle the article that you hear. You will hear each phrase twice.

1.	le	un	une
2.	la	le	une
3.	l'	un	une
4.	le	l'	les
5.	un	une	la
6.	la	les	des
7.	le	la	un
8.	l'	les	le
9.	le	l'	la
10.	les	des	l'

C. Masculin/Féminin. Write the following vocabulary words in the correct columns according to their gender (masculine or feminine). Provide the definite article (**le, la, l'**) for each word. Then fill in the plural forms.

Vocabulaire: actrice, ami, amie, bloc-notes, cahier, calculatrice, cinéma, classe, femme, film, laboratoire, livre, monsieur, personnage, personne, sac à dos, salle de classe, table, université

MASCULIN	FÉMININ	PLURIELS
l'ami	*l'actrice*	*les amis, les actrices*

D. Défini ou indéfini? Complete the following sentences by choosing either the definite article (**le, la, les**) or the indefinite article (**un, une, des**), whichever is more logical.

1. _____ (La, Une) maîtresse de Yasmine s'appelle (*is named*) Isabelle.

2. _____ (La, Une) tour Eiffel est (*is*) à Paris.

3. Qu'est-ce que c'est? —C'est _____ (le, un) dictionnaire.

4. Dans _____ (le, un) sac à dos de Marie-Noëlle, il y a _____ (les, des) livres et un stylo.

5. Qui est-ce? C'est _____ (la, une) maman de Mouloud.

6. M. Vigo est _____ (le, un) professeur intelligent.

7. Est-ce le président de la République française? Mais, non! C'est _____ (le, un) premier ministre.

E. Question/Réponse. Complete the following dialogues with a logical question using **Est-ce...** , **Qui est-ce?**, or **Qu'est-ce que c'est?**

1. —_____?

   —Non, ce n'est pas Mme Vautrin, c'est Mlle Cluny.

2. —_____?

   —C'est un téléphone.

3. —_____?

    —C'est M. Napoléon.

4. —_____?

    —Oui, c'est une carotte.

5. —_____?

    —Je ne sais pas.

Dossier culturel

The **Dossier culturel** activity allows you to demonstrate your comprehension of the cultural content of the chapter, as well as expand your knowledge of the subjects presented. You will be asked to consult various resources, including printed and electronic materials, to create written reports and other documents. Whenever available, provide illustrations to enhance your work. Note that for research on the Internet, you will be directed to links at the *Débuts* website at **www.mhhe.com/debuts.**

From the Preliminary Chapter through Chapter 6, questions may be answered in English if you can't do so in French. Beginning in Chapter 7, you should answer completely in French. Include all your documents in your **dossier** and submit them to your instructor for feedback and evaluation, according to his or her instructions.

A. La francophonie. Learn more about **la francophonie** using print resources or links at **www.mhhe.com/debuts.** Choose two French-speaking countries or territories other than France* and create and complete a chart like the following.

nom du pays[a]		
capitale		
autres villes importantes[b]		
nom des habitants[c]		
population		
autres langues		
unité monétaire[d]		
agriculture		
industrie(s)		

[a]nom... *name of country* [b]autres... *other important cities* [c]*inhabitants* [d]unité... *currency*

_____

*Some suggestions: Belgique, Canada (Nouveau-Brunswick, Québec), Côte-d'Ivoire, Madagascar, Maroc, Monaco, Sénégal, Suisse.

B. La culture du Québec. Using print resources and links at **www.mhhe.com/debuts,** research information about Canada's province of Quebec and the city of Quebec that explains in some depth the two photographs on this page. What significance does the snowman have? What is his name? What are the French words for the two items of clothing he is wearing? When is he particularly in evidence in Quebec City and why? What is the significance of the nun with the children? What role has religion played in the history and culture of the province of Quebec? Can you identify this particular statue and tell where it is located?

Un grand jour

Vocabulaire en contexte

L'alphabet français

A. Prononciation. Listen to the pronunciation of each letter name and repeat it after the speaker. Each letter will be pronounced twice.

a	d	g	j	m	p	s	v	y
b	e	h	k	n	q	t	w	z
c	f	i	l	o	r	u	x	

B. Quel mot? (*Which word?*) Listen carefully to the following sentences. Then listen to the missing word(s) being spelled out. Write the word(s) that you hear in the blanks. You will hear each sentence and spelled-out word twice.

1. C'est un excellent _____.

2. Il y a _____ étudiants dans la classe.

3. _____!

4. Comment-allez vous, _____ Yvers?

5. Est-ce que _____ va bien?

6. À _____, monsieur!

7. _____ est-ce?

8. C'est _____.

9. Salut, _____!

10. Salut, _____!

11. Dans le sac à dos, il y a _____ crayons et un _____.

Now turn off the recording and write words from the preceding sentences that contain the following special marks.

12. accent aigu: _____

13. accent grave: _____

14. accent circonflexe: _____

15. cédille: _____

C. Trouvez la phrase. (*Find the sentence.*) For each number, write the letter you hear. The first one has been done for you. Then, fill in the blanks with the correct letter to form a sentence in French.

1. _J_ 6. _____

2. _____ 7. _____

3. _____ 8. _____

4. _____ 9. _____

5. _____ 10. _____

____ ____ , ____ ____ ____ – ____ ____ ____ ____ ____ ____ ____ ____ ____ , ____ ____ ____ ?
 6 3   2 5 9   8 2 6 3 2 8 2 5 9

____ , ____ ____ ____ ____ ____ _J_ ____ ____ !
 8 2 5 9 3 10 1 2 3

*L*a rentrée

A. Mots croisés. (*Crossword puzzle.*) Do the following crossword puzzle, then turn on the recording and listen to verify your answers. The words will be spelled out.

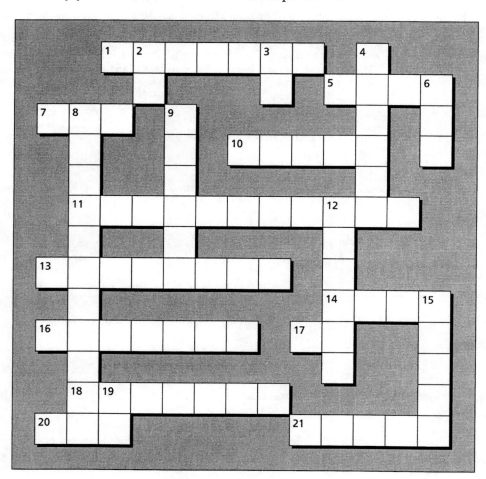

HORIZONTALEMENT

1. machine pour indiquer l'heure (*time*)
5. Dans une salle, il y a quatre _____.
7. oui ≠ _____
10. Les élèves sont a l'_____ avec la maîtresse.
11. M. Chrétien? C'est un _____ à l'école Boniface.
13. Les maîtresses écrivent sur (*write on*) les _____ avec les craies.
14. Il y a six chaises _____ la table.
16. ouverture (*opening*) dans un mur
17. _____, deux, trois…
18. Les enfants commencent l'école le jour de la _____.
20. Qu'est-ce que c'_____?
21. école; _____; université

VERTICALEMENT

2. conjonction de choix (*choice*)
3. prononciation de la lettre G
4. Ce n'est pas une table; c'est le _____ du professeur.
6. un _____ à dos
8. Macintosh, Dell, Compaq
9. instituteur
12. _____ ≠ adulte
15. tableau; éponge; _____
19. conjonction d'inclusion

B. En classe. Use the vocabulary words to describe the following school scenes. Use each word only once; you may need to form plurals when necessary. *Note:* Not all the words will be used.

Vocabulaire utile: cahier, chaise, étudiant, éponge, fenêtre, horloge, instituteur, laboratoire, ordinateur, porte, salle, stylo, tableau

1. C'est une _____ de classe.
2. Il y a un _____ sur le mur.
3. Il y a des tables et des _____.

4. C'est une salle de classe avec deux grandes (*big*) _____.

5. Dans la salle de classe, il y a un _____ et quatre élèves.

6. Sur le mur, il y a une _____.

7. Sur les bureaux, il y a des _____ et des_____.

8. Ce n'est pas une salle de classe; c'est un _____.

9. Il y a quatre _____ et trois _____.

10. Il y a aussi une _____.

$\mathcal{L}$es leçons / Les études / Les cours

A. **Quelle leçon?** Write the words that are spelled out for you. Then write the name of the lesson with which you associate each word. *Note:* Not all the lesson names will be used.

Les leçons: l'art, l'écriture, la géographie, l'informatique, la lecture, les maths, les sciences naturelles

MODÈLE: You hear: S-C-U-L-P-T-U-R-E
You write: sculpture; l'art

1. _____; _____

2. _____; _____

3. _____; _____

4. _____; _____

5. _____; _____

6. _____; _____

B. **Quel cours?** What kind of class do the following images suggest? Listen to the questions and answer affirmatively or negatively with a complete sentence. If your answer is **non**, give the correct answer as well.

Vocabulaire utile: anglais, art, écriture, français, géographie, histoire, informatique, lecture, mathématiques, sciences, sciences politiques

MODÈLE: You see:

You hear: C'est un cours de maths?
You say: Non, ce n'est pas un cours de maths. C'est un cours d'art.
You hear: Non, ce n'est pas un cours de maths. C'est un cours d'art.

1.   2.   3.   4.

5.   6.   7.   8.

C. **Qu'est-ce qu'on étudie?** (*What do we study?*) In which course would you most likely study each of the following? Use the expression **On étudie** (*We study*). *Note:* You will use some courses more than once.

Les cours: l'anglais, l'écriture, le français, la géographie, l'histoire, l'informatique, les mathématiques, les sciences naturelles

MODÈLE: Virginia Woolf →
On étudie Virginia Woolf dans un cours d'anglais.

1. Jacques Cartier, le «découvreur» (*discoverer*) du Canada

———

2. Napoléon, l'empereur des Français (1804–1815)

———

3. les séries trigonométriques de Joseph Fourier

   _____

4. la calligraphie

   _____

5. l'Afrique, l'Asie et l'Amérique

   _____

6. le livre *Le Petit Prince*

   _____

7. C++, JAVA et BASIC

   _____

8. la photosynthèse

   _____

9. la culture et la grammaire françaises

   _____

10. la Deuxième Guerre mondiale (*World War II*)

    _____

Visionnement 1

A. **Le film: Êtes-vous d'accord? (*Do you agree?*)** Based on what you've seen in the film, decide if you agree with the following statements. Write **oui** if you agree, **non** if you do not. If you don't know, write **Je ne sais pas.**

   1. Yasmine arrive dans une nouvelle (*new*) école. _____

   2. Rachid est instituteur. _____

   3. Les enfants étudient (*are studying*) les sciences naturelles. _____

   4. La maman de Yasmine est à l'école avec elle (*her*). _____

   5. Pour Rachid, c'est un grand jour (*big day*). _____

   6. L'institutrice adore la musique. _____

B. **À propos des personnages**

   Step 1. Based on your sense of the characters shown or mentioned thus far in the film, complete the following sentences using the vocabulary words. You will have to guess for now, but soon you'll know more.

   Vocabulaire utile: extraordinaire, intelligente, Marseille, Paris, reporter, sérieuse, triste (*sad*)

   1. La maman de Yasmine est timide et _____.

   2. Elle (*She*) est probablement _____ aussi.

3. Rachid désire travailler (*to work*) à _____.

4. Il aime (*He likes*) la profession de _____.

5. La maman de Yasmine aime _____.

6. Le travail (*job*) à Paris est une opportunité _____ pour Rachid.

7. La maman de Yasmine est _____ à Paris.

Step 2. Now listen to a passage about Rachid, his wife Sonia, and their daughter Yasmine.

Quand[1] Rachid Bouhazid rencontre[2] Sonia, ils ont 20 ans.[3] Ils habitent[4] à Marseille. Rachid décide que Sonia est la femme parfaite.[5] Elle est timide et sérieuse mais[6] aussi très intelligente. Sonia aime Rachid aussi. Ils sont tous les deux d'origine maghrébine;[7] donc ils ont[8] une culture similaire. Rachid est dynamique, intelligent et loyal, mais il est aussi très ambitieux et il adore sa profession de reporter.

Rachid et Sonia se marient et ils ont une fille[9]: Yasmine. Yasmine a maintenant six ans[10] et la famille Bouhazid est très heureuse[11] à Marseille. Mais il y a un problème: Rachid désire aller à Paris pour travailler, et Sonia préfère Marseille. Un jour, Rachid a une opportunité extraordinaire. Il a une proposition de travail à Paris et il accepte. Sonia accepte aussi, mais quand ils arrivent à Paris, elle est triste.

[1]*When* [2]*meets* [3]*ils… they are 20 years old* [4]*live* [5]*perfect* [6]*but* [7]*Ils… They are both of North African origin* [8]*donc… so they have* [9]*daughter* [10]*a… is now six years old* [11]*happy*

Step 3. Now return to your answers in Step 1. Make any necessary changes based on what you learned in the passage.

C. Vous avez compris? (*Did you understand?*) Based on what you heard and read in Exercise B, answer each of the following questions with the name of the appropriate character(s): Sonia, Rachid, Yasmine, or a combination of them. Circle the appropriate response(s).

1. Qui rencontre Sonia à l'âge de 20 ans?   Sonia   Rachid   Yasmine

2. Qui est d'origine maghrébine?   Sonia   Rachid   Yasmine

3. Qui a six ans?   Sonia   Rachid   Yasmine

4. Qui accepte un travail à Paris?   Sonia   Rachid   Yasmine

5. Qui habite à Paris?   Sonia   Rachid   Yasmine

6. Qui est triste à Paris?   Sonia   Rachid   Yasmine

Prononciation et orthographe

Aperçu des voyelles

Most French vowel sounds have a variety of corresponding spellings. In order to learn to pronounce French correctly, you'll need to recognize the spellings that are used to represent those sounds.

The following chart lists common spellings of each specific vowel sound. Listed in the middle column are the International Phonetic Alphabet (IPA) symbols for each sound; these symbols are used in dictionaries to show word pronunciation. On the right are examples of common words containing those sounds.

The speaker will pronounce each sound (indicated by the symbol in the middle column) and then each example. Repeat each sound and example after the speaker. In later chapters, you will be given specific hints on how to produce these sounds using your mouth, lips, and tongue. Although acquiring a native-like French pronunciation requires practice, the exercises throughout *Débuts* will give you a solid foundation, and you will gradually refine your French pronunciation skills.

ORAL VOWELS		
COMMON SPELLINGS	IPA SYMBOL	EXAMPLES
a, à, â	/a/	madame, à, âme
final **ai**, **é**, final **-er**, final **-ez**	/e/	j'**ai**, cin**é**ma, cahi**er**, all**ez**
ai, ay, è, ê, ei **e** + pronounced consonant final **-ès**, final **-et**, final **-êt**	/ɛ/	dictionn**ai**re, cr**ay**on, sc**è**ne, fen**ê**tre, tr**ei**ze mad**e**moiselle, m**e**rci tr**ès**, adm**et**, for**êt**
e	/ə/	d**e**main, l**e**
i, î, y	/i/	f**i**lm, d**î**ner, st**y**lo
au, eau, o, ô	/o/	**au**, bur**eau**, stud**i**o, bient**ô**t
o	/ɔ/	bl**o**c-notes, h**o**mme, pers**o**nne, quat**o**rze
eu, eux	/ø/	f**eu**, d**eux**
eu, œu	/œ/	n**eu**f, c**œu**r
ou, où, oû	/u/	v**ou**s, **où**, c**oû**te
u, û	/y/	**u**ne, ét**u**diante, fl**û**te

NASAL VOWELS		
COMMON SPELLINGS	IPA SYMBOL	EXAMPLES
am, an, em, en	/ɑ̃/	l**am**pe, pl**an**, m**em**bre, **en**chanté
aim, ain, im, in, um, un **en** preceded by **i, y, é**	/ɛ̃/	f**aim**, dem**ain**, **im**possible, c**in**q, parf**um**, **un** b**ien**, mo**yen**, lyc**éen**
om, on	/ɔ̃/	n**om**, cray**on**

Structure 3

*L*es pronoms sujets et le verbe être
Talking about ourselves and others

A. **Prononciation.** In most sentences, the plural subject pronouns **ils** and **elles** sound exactly like their singular counterparts **il** and **elle**. Other pronouns have distinct pronunciations. Listen and repeat. Try to pronounce both the consonant sounds and the vowel sounds as much like the speaker as possible.

1. il / ils
2. tu / vous
3. je / nous
4. elle / elles
5. on
6. tout le monde

Now you will hear either a singular or a plural pronoun. If you hear a singular form, repeat it and then say the plural form. If you hear the plural, repeat it and then say the singular.

> MODÈLE: You hear: je
> You say: je, nous
> You hear: je, nous

1. …   2. …   3. …   4. …   5. …   6. …   7. …   8. …

B. Qui ça? (*Who?*) Indicate whether the subject of the sentence you hear is one person or more than one person or whether it is impossible to say (**impossible à dire**). You will hear each sentence twice.

	1.	2.	3.	4.	5.	6.	7.
une personne	☐	☐	☐	☐	☐	☐	☐
2+ personnes	☐	☐	☐	☐	☐	☐	☐
impossible à dire	☐	☐	☐	☐	☐	☐	☐

C. *Tu ou vous*? Which subject pronoun—**tu** or **vous**—would you use if you were addressing the following people in French?

		tu	vous
1.	Mme Simon, your elderly next-door neighbor	tu	vous
2.	Minou, your neighbor's cat	tu	vous
3.	Carine, your best friend	tu	vous
4.	group of friends	tu	vous
5.	two young children whom you know	tu	vous
6.	person your age to whom you have just been introduced	tu	vous
7.	Papy, your grandfather	tu	vous
8.	your math professor	tu	vous
9.	Mme Poinson, your local grocer	tu	vous
10.	small child whom you have just met	tu	vous

D. Prononciation. The forms of the verb **être** are all irregular, following no standard pattern. Listen and repeat, trying to pronounce each form as much like the speaker as possible.

je suis	nous sommes
tu es	vous êtes
il est	ils sont
elle est	elles sont
on est	

Notice that the second- and third-person singular forms (**tu, il, elle,** and **on**) all sound the same: /ɛ/. You must pay attention to the pronoun, since it clarifies which person the speaker is talking about.

Now listen to each sentence, repeat it aloud, and circle the form you hear. Pay attention to both the pronoun and the verb.

1.	ils sont	je suis	4.	il est	elle est
2.	nous sommes	vous êtes	5.	il est	ils sont
3.	elle est	vous êtes	6.	tu es	il est

E. Quelle phrase? Listen carefully and circle the sentence you hear. You will hear each sentence twice.

> MODÈLE: You see: Tu es étudiant. Vous êtes étudiant.
> You hear: Tu es étudiant. Tu es étudiant.
> You say, then circle: (Tu es étudiant.) Vous êtes étudiant.

1. Il est en classe.   Elle est en classe.

2. C'est une élève.   Elle est élève.

3. On est dans la salle.   On n'est pas dans la salle.

4. Elles sont avec Stéphanie.   Je suis avec Stéphanie.

5. C'est une université.   Vous êtes à l'université.

6. Elles sont avec M. Denis.   Ils sont avec M. Denis.

7. Nous sommes profs.   Ils sont profs.

8. Il est là.   On est là.

F. La vie à l'université. Complete the following sentences that you might hear at a university by providing the correct form of the verb **être**.

> MODÈLE: Anne et Pascale sont étudiantes.

1. Je ne _____ pas encore professeur!

2. Mme Antel _____ professeur.

3. Vous aussi, vous _____ étudiant?

4. Tu _____ une étudiante extraordinaire!

5. Nous _____ en cours de 9 heures (*9 o'clock*) à 11 heures.

6. Les livres _____ dans la salle de classe.

7. Tout le monde _____ en classe.

G. Où sont-ils? (*Where are they?*) Write complete sentences describing where the following people or things are. *Attention!* Replace any nouns listed with their appropriate subject pronouns.

> MODÈLE: les enfants / dans le jardin →
> Ils sont dans le jardin.

1. la table / dans la salle de classe

   _____

2. la maîtresse / devant (*in front of*) le bureau

   _____

3. maman et papa / dans l'appartement

   _____

4. tu / avec un ami

   _____

5. on / dans le studio

   _____

6. la tour Eiffel / à Paris

_____

7. nous / en classe

_____

8. les étudiants / à l'université

_____

9. le stylo / dans le sac à dos

_____

10. les femmes / là

_____

11. je / dans le laboratoire

_____

12. l'instituteur / à l'école

_____

13. l'ordinateur / sur la table

_____

14. tout le monde / à la fenêtre

_____

Structure 4

Ne... pas et d'autres négations

Expressing negatives

A. Être ou ne pas être. Answer the following questions using the negation indicated by the speaker.

> MODÈLE: You see: C'est un grand jour? (Non, ce...)
> You hear: ne... pas
> You say: Non, ce n'est pas un grand jour.
> You hear: Non, ce n'est pas un grand jour.

1. La maman de Yasmine est là? (Non, elle...)
2. La calculatrice est dans le sac à dos? (Non, elle...)
3. Ils sont sympas? (Non, ils...)
4. Ce sont des amis? (Non, ce...)
5. Vous êtes en France? (Non, nous...)
6. Je suis calme? (Non, tu...)
7. Amine est le cousin de Malika? (Non, il...)
8. Tu es professeur? (Non, je...)

B. Oui ou non? Answer the question you hear using a negation. Then follow it with an affirmative statement using the other noun you see. Listen to verify your response.

> MODÈLE: You see: une chaise / une horloge
> You hear: Est-ce une chaise?
> You say: Non, ce n'est pas une chaise. C'est une horloge.
> You hear: Non, ce n'est pas une chaise. C'est une horloge.

1. un livre d'arabe / un livre de français
2. un tableau / une table
3. une calculatrice / un ordinateur
4. des étudiants / des élèves
5. le papa d'Amélie / la maman d'Amélie
6. M. Estrade / Mme Estrade
7. des craies / des crayons
8. une porte / une fenêtre

C. Complétez les phrases. Complete the following sentences by conjugating the verbs (if necessary) and making any necessary additions or changes. Be careful to place the negation correctly.

> MODÈLE: Nous / être / ne... pas du tout / horribles →
> Nous ne sommes pas du tout horribles.

1. Les enfants / être / ne... jamais / calmes

   _____

2. Je / m'appelle / ne... pas / Lucie

   _____

3. Vous / être / ne... plus / à Dakar / ?

   _____

4. Marc et Brigitte / être / ne... pas / contents

   _____

5. Ce / être / ne... pas / des étudiants

   _____

6. Tu / être / ne... jamais / très / sociable

   _____

7. Carine / être / ne... plus / avec Solange

   _____

8. La calculatrice / être / ne... pas / dans le bureau

   _____

9. Tout le monde / être / ne... pas encore / en classe

   _____

D. François Lejoyeux et Marie-Laure Malbouche. François is a positive and optimistic person. Marie-Laure is very negative. For each of François's statements or questions, give Marie-Laure's negative response. Vary your use of negations as much as possible, using **ne... pas, ne... pas du tout, ne... jamais,** and **ne... pas encore.**

MODÈLE: FRANÇOIS: Ça va bien! →
MARIE-LAURE: Mais non, ça ne va pas bien du tout!

1. FRANÇOIS: Tout le monde est content!

   MARIE-LAURE: _____

2. FRANÇOIS: Le professeur de français est fantastique!

   MARIE-LAURE: _____

3. FRANÇOIS: Le cinéma est fascinant (*fascinating*)!

   MARIE-LAURE: _____

4. FRANÇOIS: Les élèves sont déjà (*already*) en classe.

   MARIE-LAURE: _____

5. FRANÇOIS: Nous sommes amis.

   MARIE-LAURE: _____

6. FRANÇOIS: Est-ce que tu es très sociable?

   MARIE-LAURE: _____

Regards sur la culture

*D*es livres scolaires

Voilà des manuels scolaires français pour enfants, pour adolescents et pour étudiants à l'université.

a.

b.

c.

d.

e.

f.

Un livre pour qui? Look at each book cover. Then circle the words that best complete each sentence.

1. Le livre «c» est pour un lycée / une école.

2. Le livre «f» est pour une université / une école.

3. Une maîtresse / Un professeur utilise probablement (*probably uses*) le livre «d».

4. Une personne de 17 ans / de 6 ans utilise le livre «a».

5. Un futur professeur d'anglais utilise le livre «b» / le livre «e».

6. Un futur géologiste adore le livre «b» / le livre «d».

Structure 5

L'intonation et est-ce que...

Asking yes/no questions

A. Prononciation. You have learned that a statement can be turned into a question simply by changing the intonation from a falling tone to a rising tone. Listen and repeat.

> STATEMENT: Tu es content.
> QUESTION: Tu es content?

A statement can also be turned into a question by adding **Est-ce que** at the beginning. The intonation again ends with a rising tone. Listen and repeat.

> STATEMENT: Tu es content.
> QUESTION: Est-ce que tu es content?

Listen to the following segments of dialogue from Episode 1 of *Le Chemin du retour* and indicate whether or not the segment you hear is a question by putting a check mark in the appropriate column. Pay attention to the use of intonation and **Est-ce que**. You will hear each sentence twice.

> MODÈLE: You hear: C'est ma nouvelle (*my new*) école? C'est ma nouvelle école?
> You check off: C'est une question.

	C'EST UNE QUESTION.	CE N'EST PAS UNE QUESTION.
1.	☐	☐
2.	☐	☐
3.	☐	☐
4.	☐	☐
5.	☐	☐
6.	☐	☐
7.	☐	☐
8.	☐	☐
9.	☐	☐

B. Une réponse logique. Circle the more logical response to each question you hear. You will hear each question twice.

1. Oui, ça va bien, merci.   Oui, je suis prof.

2. Non, je suis mexicain.   Non, c'est un cours d'anglais.

3. Non, c'est un crayon.   Non, c'est un professeur.

4. Je suis étudiant aussi.   Non, merci.

5. Oui, c'est Charles.   Ce sont des chaises.

C. Question/Réponse. Write a question using **Est-ce que** that corresponds to each of the following responses. Be careful to use the logical subject pronoun.

MODÈLE: RÉPONSE: Non, nous ne sommes pas étudiants. →
QUESTION: Est-ce que vous êtes étudiants?

1. RÉPONSE: Oui, le cours d'anglais est à trois heures.

QUESTION: _____

2. RÉPONSE: Non, je ne suis pas à l'université.

QUESTION: _____

3. RÉPONSE: Non, le prof n'est jamais stupide.

QUESTION: _____

4. RÉPONSE: Oui, il y a des chaises dans la salle de classe.

QUESTION: _____

5. RÉPONSE: Non, ce n'est pas un ordinateur.

QUESTION: _____

6. RÉPONSE: Oui, je suis Madame Valmour.

QUESTION: _____

D. Dialogue. Now write a dialogue of 8–10 lines between two college students who are meeting for the first time. Use a variety of questions such as **Ça va?**, **Est-ce… ?**, **Qu'est-ce que c'est?**, **Qui est-ce?** and the intonation and **Est-ce que…** forms of yes/no questions.

_____

_____

_____

_____

_____

_____

_____

_____

_____

Visionnement 2

A. **Après le visionnement.** Thinking about the cultural information in this chapter and looking at the photo, select the most appropriate word(s) to complete each sentence.

1. Les enfants sur la photo (*in the photo*) sont des _____. (élèves / étudiants)

2. Les enfants sur la photo sont _____. (disciplinés / indisciplinés)

3. L'endroit (*place*) sur la photo est _____. (un lycée / une école primaire)

4. Isabelle est _____. (un maître / une maîtresse)

5. Les enfants ont (*are having*) probablement une leçon de _____. (sciences naturelles / sciences politiques)

6. L'école semble (*seems*) _____. (moderne / traditionnelle)

B. **Comptons.** Count the following objects and people in the photo and write out the numbers.

MODÈLE: Combien de portes est-ce qu'il y a? →
Il y a une porte.

1. Combien d'élèves est-ce qu'il y a? _____

2. Combien de garçons (*boys*) est-ce qu'il y a? _____

3. Combien de filles (*girls*) est-ce qu'il y a? _____

4. Combien d'institutrices est-ce qu'il y a? _____

5. Combien de sacs à dos et cartables (*bookbags*) est-ce qu'il y a? _____

_____

À écrire

*P*our Yasmine à l'école

Rachid is ordering school supplies for Yasmine on the Internet.

Step 1. Take Rachid's role and choose supplies for Yasmine from the following online catalogue.

_____	Sac à dos Gibecière	12,18 €
_____	Sac à dos <<Chic L'école>>	9,40 €
_____	Stylo plume Stypen	3,27 €
_____	Quatre feutres aiguille Rotring	3,53 €
_____	Quarante crayons de couleur Picolo	1,62 €
_____	Dix crayons graphite Noris	1,39 €
_____	Quatre chemises	1,94 €
_____	Une gomme	0,34 €
_____	Boîte de compas	0,23 €
_____	Feuillets mobiles 400 pages perforées Trocadero	1,82 €

Step 2. Now fill out the following form. Rachid's address is 22, rue Lacépède, 75005 Paris.

Merci de bien vouloir remplir le formulaire ci-dessous.

*Nom	[ ] (*) *rubriques obligatoires*
*Prénom	[ ]
*Adresse	[ ]
*Code postal	[ ]
*Ville	[ ]
*Pays	[France continental ⬍]
Téléphone	42-16-39-75
Mail	rachid@wanadoo.fr
Mot de passe	[ ]
Confirmation du mot de passe	[ ]

Step 3. To complete Rachid's order, fill out the remainder of the form. Be sure to total your purchases.

CAISSE D''EPARGNE
Paiement sécurisé avec la Caisse d'épargne
Voici le contenu de votre panier:

PRODUIT	QUANTITÉ	PRIX UNITAIRE	PRIX TOTAL

Step 4. When you have finished filling in all the forms, go back and check your spelling, the details of the descriptions and prices, and your addition for the total amount. Make corrections as necessary.

Dossier culturel

A. L'enseignement. (*Education*.) Using the links at **www.mhhe.com/debuts** or printed resources, compare the education or schooling system of a French-speaking country or territory* to that of your country (or state or province). List the ages of the students and the corresponding levels and/or schools. Create and complete a chart such as the following. List some advantages and disadvantages of each system.

	PAYS FRANCOPHONE		VOTRE PAYS	
ÂGES	CLASSES°	ÉCOLE	CLASSES	ÉCOLE

°*Grades*

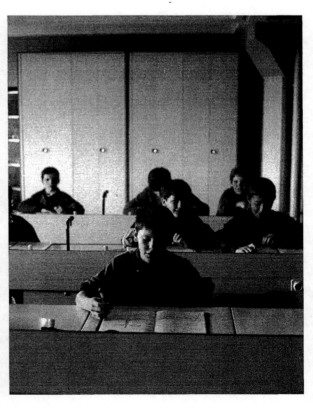

---

*See **Dossier culturel**, Activity B, in the Preliminary Chapter.

B. **La tour Eiffel.** The Eiffel Tower is the best-known landmark of the French capital. Using the links at **www.mhhe.com/debuts** or printed resources, write a report that provides statistics such as the total height (**hauteur**) of the tower; the total weight (**poids**); the dimensions at the base; the number of steps (**marches**) in the tower; the name of the contractor (**entrepreneur**) for the construction; how long the construction (**exécution** or **construction**) lasted. Give the date and for what occasion the tower officially opened (**date de naissance** or **inauguration**) and the name of the owner (**propriétaire**). Then name a major landmark in your hometown (or a city nearby) and provide similar information about it. Finally, tell why you think people build such constructions.

Chapitre 2

Bonjour!

Vocabulaire en contexte

*P*our parler des personnes

A. **Samuel Lacoste.** Listen to the following paragraph and write the missing words in the blanks. You will hear the passage twice.

Samuel Lacoste est un journaliste _____.[1] C'est un _____[2]

journaliste et un homme _____.[3] Son[a] travail à la radio est

_____[4] et toujours _____.[5] _____[6] est

Samuel? Il n'est sûrement[b] pas _____[7] talent. _____[8] son

public, il est _____[9]! _____[10] parfois le travail est un peu[c]

_____[11] pour Samuel. Il adore l'aventure et voudrait[d] voyager pour son

_____.[12]

[a]*His* [b]*certainly* [c]*un… a little* [d]*would like*

B. **Portrait de Rachid.** Fill in each blank by choosing the appropriate adjective.

C'est un (mais/grand) _____[1] jour pour Rachid. Est-ce qu'il est (prêt/sans)

_____[2]? Oui. Est-ce qu'il est (heureux/vrai) _____[3]? Oui.

Mais il est aussi _____[4] (inquiet/capable) pour sa famille.[°]

[°]*sa… his family*

C. **Un cours à l'université.** Create sentences about a university class by combining the words you see with the adverbs you hear.

> MODÈLE: You see: l'étudiant typique / capable
> You hear: toujours
> You say: L'étudiant typique est toujours capable.
> You hear: L'étudiant typique est toujours capable.

1. l'étudiant typique / inquiet
2. le professeur / amusant
3. le professeur / ennuyeux
4. le cours / ridicule
5. le cours / difficile
6. l'étudiant typique / dynamique

D. **D'accord?** Léo and Jacqueline have strong opinions and don't get along because they often disagree. Caroline likes Jacqueline and has only good things to say about her. Circle the expressions that complete the sense of the following dialogues.

    1. JACQUELINE: Le président est formidable!

       LÉO: (C'est vrai! / Je ne suis pas d'accord.) Il est ridicule.

       JACQUELINE: (Bien sûr que non! / Sans doute!) Il est formidable et amusant.

       LÉO: (C'est faux. / C'est vrai.) Il est amusant, je suis d'accord avec toi, là!

    2. CAROLINE: Jacqueline est intelligente.

       LÉO: (Je ne suis pas d'accord. / Bien sûr!) Elle est stupide.

       CAROLINE: Mais elle est sympathique.

       LÉO: (C'est vrai! / Pas vrai.) Elle est difficile.

       CAROLINE: Elle est dynamique.

       LÉO: (Je suis d'accord! / Bien sûr que non!) Elle est dynamique.

E. **Selon Michel.** Michel and Jeanne are talking about various things. When Jeanne makes a statement, Michel gives his own opinion. For each of his reactions, tell whether he agrees or disagrees with Jeanne.

    MODÈLE: You hear: JEANNE: Tom Hanks est un acteur formidable.
                          MICHEL: Ah oui, c'est vrai!
           You check off: Michel est d'accord.

	MICHEL EST D'ACCORD.	MICHEL N'EST PAS D'ACCORD.
1.	☐	☐
2.	☐	☐
3.	☐	☐
4.	☐	☐
5.	☐	☐

F. **Comment est... ?** Write two adjectives or phrases that you associate with each of the following people. You may use the same word for different people, but vary your responses as much as possible. *Note:* You will not use all the words.

Vocabulaire utile: capable, fatigué, formidable, fort, important, intelligent, intéressant, magnifique, super, sympathique, un bon ami, un vrai Français

    1. un étudiant typique   _____   _____

    2. un journaliste à la télé   _____   _____

    3. votre musicien favori   _____   _____

    4. un athlète parisien   _____   _____

    5. un bon employé   _____   _____

ℒes locaux et les employés de Canal 7

Au studio. (*At the studio.*) Label the people and locations in this television studio. Be sure to include the appropriate definite article. *Note:* You will not use all of the words.

Vocabulaire utile: bureau, écran, émission, plateau, producteur, régie, reporter

1. _____

2. _____

3. _____

4. _____

5. _____ *le bureau*

Visionnement 1

A. Dans le film. Based on what you have seen in the film, fill in the blanks with the best word from the following list. *Note:* You will not use all of the words.

Vocabulaire utile: béret, boulanger (*baker*), Canal 7, Marseille, médaillon, Montréal, pain artisanal (*handmade bread*)

1. M. Liégeois est un grand _____ parisien.

2. Le travail de Bruno et Camille est à _____.

3. Bruno aime (*likes*) le _____.

4. Bruno n'aime pas le _____.

5. Hélène arrive de _____.

6. Camille ne trouve pas (*doesn't find*) son _____.

B. À propos des personnages

Step 1. Based on your sense of the characters in the film, decide whether the following statements are definitely true, likely to be true, not likely to be true, definitely not true, or whether it's impossible to say. Use the following letter symbols: **sûr (S), probable (P), pas probable (PP), faux (F), impossible à dire (I).**

_____ 1. Camille et Bruno sont de bons amis.

_____ 2. L'émission de Camille et Bruno sur (*on*) Canal 7 est très populaire avec les téléspectateurs (*television audience*).

_____ 3. Bruno a parfois envie de retourner à (*wants to return to*) la radio.

_____ 4. Camille a beaucoup (*a lot*) d'ambition.

_____ 5. Bruno est plus jeune que (*younger than*) Camille.

_____ 6. C'est par accident que Camille est devenue journaliste.

 Step 2. Now listen to a passage about Camille and Bruno.

Camille Leclair et Bruno Gall sont les animateurs de «Bonjour!», un magazine télévisé sur Canal 7. Ensemble[1] à la télévision depuis[2] 1998,* ils parlent de sujets de la vie quotidienne.[3] Ils sont sérieux mais ils ne se prennent pas trop au sérieux.[4] La presse adore ce couple d'animateurs. Bruno et Camille ont une large audience sur une chaîne cablée[5]...

Mais à présent, Camille rêve d'une vie différente.[6] Elle voudrait présenter[7] une grande émission d'actualités.[8] Mais elle hésite. Bruno est un ami sincère et généreux. Ils sont amis depuis 1993, quand[9] Camille était[10] étudiante en journalisme et Bruno animateur à la radio, déjà[11] une star. Bruno a aidé[12] Camille à trouver ce[13] travail à Canal 7. Ce n'est certainement pas une bonne chose[14] d'abandonner un ami pour satisfaire son ambition professionnelle.

[1]*Together* [2]*since* [3]*la... daily life* [4]*mais... but they don't take themselves too seriously* [5]*cable* [6]*rêve... dreams of a different life* [7]*voudrait... would like to be the host for* [8]*émission... news show* [9]*when* [10]*was* [11]*already* [12]*a... helped* [13]*à... to find this* [14]*une... a good thing*

_____

*1998 = mil neuf cent quatre-vingt-dix-huit

Step 3. Now return to your answers in Step 1 and make any necessary changes based on what you learned in the passage.

C. **Vous avez compris?** (*Did you understand?*) Based on the passage about Camille and Bruno that you just listened to, decide which of the characters might make each of the statements—Bruno, Camille, or both. Check the appropriate column.

	BRUNO	CAMILLE	BOTH
1. Je suis journaliste à Canal 7.	☐	☐	☐
2. Je parle de la vie quotidienne.	☐	☐	☐
3. Je rêve d'une vie différente.	☐	☐	☐
4. Je désire présenter les actualités.	☐	☐	☐
5. J'hésite à changer de profession.	☐	☐	☐
6. Je suis un ami sincère et généreux.	☐	☐	☐

Prononciation et orthographe 🎧

*L*es consonnes finales prononcées et muettes

Final written consonants in French words may "behave" in one of three ways when spoken. Although there is no absolute rule to guide you, some generalizations can be made.

1. Most final consonants are never pronounced. Listen and repeat.

   e~~t~~   toujour~~s~~   malheureu~~x~~

2. The final consonants **c**, **r**, **f**, and **l** are usually pronounced; these are the so-called CaReFuL consonants. Listen and repeat.

   ave**c**   reporte**r**   neu**f**   i**l**

   These consonants are always linked to a following vowel. This linking is called **enchaînement**. Listen and repeat.

   ave‿c un stylo   pou‿r Anne   acti‿f et dynamique   i‿l est

3. Some final consonants are usually silent but are pronounced in certain environments. This type of link is called **liaison**. For example:

   • The final consonant of **c'est** is pronounced before a vowel. Listen and repeat.

   C'est /t/ un mystère!

   In familiar conversation, however, this linking is sometimes not made.

   • The final **-s** of subject pronouns (**nous, vous, ils, elles**) and plural articles (**les, des**) is pronounced /z/ before a vowel. Listen and repeat.

   nous /z/ adorons   elles /z/ observent
   vous /z/ êtes   les /z/ acteurs
   ils /z/ aiment   des /z/ ennemies

In **enchaînement** and **liaison**, the final linked consonant is "pushed" to the next syllable, resulting in a new syllable pattern. Listen and repeat.

elle /ɛl/   *but:* elle est /ɛ·lɛ /
nous /nu/   *but:* nous aimons / nu·zɛmɔ̃/

Liaison et enchaînement. Now pronounce the following examples of **liaison** and **enchaînement** after the speaker. Be careful to "push" the final consonant of the linked word to the initial syllable of the following word. To help you visualize this, the expressions are divided into syllables. You will hear and repeat each sentence or phrase twice.

1. Comment allez-vous?   /kɔ·mɑ̃·ta·le·vu/
2. Elle est avec Isabelle.   /ɛ·lɛ·ta·vɛ·ki·za·bɛl/
3. dans un jardin   /dɑ̃·zɛ̃·ʒaʀ·dɛ̃/
4. pour une leçon   /pu·ʀyn·lə·sɔ̃/
5. C'est un grand jour.   /sɛ·tɛ̃·gʀɑ̃·ʒuʀ/

Structure 6

Les adjectifs

Describing people and things

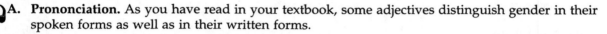

A. Prononciation. As you have read in your textbook, some adjectives distinguish gender in their spoken forms as well as in their written forms.

1. The most common distinction is when the masculine ends with a vowel sound and the feminine ends with a consonant sound. Listen to the differences between these masculine and feminine forms. Repeat each pair after you hear it.

amusant / amusante	heureux / heureuse	malheureux / malheureuse
content / contente	important / importante	mauvais / mauvaise
français / française	inquiet / inquiète	petit / petite
grand / grande	laid / laide	prêt / prête

2. Sometimes the last vowel sound in the masculine and feminine is different as well.* Notice that in the feminine in these examples, there is also a final consonant /n/ sound on the feminine form. Repeat each pair after you hear it.

    américain / américaine   bon / bonne   canadien / canadienne

3. A few adjectives end with one consonant sound in the masculine and a different one in the feminine. Repeat each pair after you hear it.

    actif / active   naïf / naïve   sportif / sportive

4. These pronunciation differences also appear in the plurals. Repeat each pair after you hear it.

    petits / petites   bons / bonnes   sportifs / sportives

Now you will hear five statements. Circle the correct form of the word you hear in each statement.

1. grand   grande   4. grande   grand
2. bon   bonne   5. difficile   difficiles
3. bonnes   bons

---

*Recall the distinction between oral and nasal vowels that you learned in Chapter 1.

B. Masculin ou féminin? As you listen to the pronunciation of each adjective, indicate whether it refers to a man or a woman by checking the box in the appropriate row. If it could be either, check the box in the third row.

	1.	2.	3.	4.	5.	6.	7.
un homme	☐	☐	☐	☐	☐	☐	☐
une femme	☐	☐	☐	☐	☐	☐	☐
un homme ou une femme	☐	☐	☐	☐	☐	☐	☐

C. Comment est... ? You will hear a sentence describing someone, followed by another person's name. Say that the second person is like the first person, making sure that the adjective agrees in gender. Listen to verify your response.

MODÈLE: You hear: Michel est intéressant. Élisabeth…
You say: Élisabeth est intéressante.
You hear: Élisabeth est intéressante.

1. …   2. …   3. …   4. …   5. …

D. La vie à l'école. Complete the sentences about school by choosing from the adjectives listed at the end (circle the correct form for each sentence).

1.	Pour la maîtresse, la craie est…	important	importante
2.	Ce sont des livres…	français	françaises
3.	L'institutrice est…	sportif	sportive
4.	Les étudiantes sont…	fatigués	fatiguées
5.	Les chaises sont…	petits	petites
6.	Les cours sont…	facile	faciles
7.	L'étudiant est…	inquiet	inquiets
8.	La calculatrice n'est pas…	chère	chers

E. La vie à Canal 7. Complete the second sentence in each item about Canal 7 with the correct form of the adjective used in the first sentence.

1. Le studio est super. Les émissions de «Bonjour!» sont _____ .

2. Le reporter n'est pas laid. La productrice n'est pas _____ .

3. Le pain de campagne est délicieux. Les baguettes sont _____ .

4. Camille est formidable. Les Français sont _____ .

5. Le reportage de Rachid est vrai. Les reportages d'Hélène sont _____ .

6. Hélène est canadienne. Bruno et Camille ne sont pas _____ .

F. Comment sont-ils? Describe the following people and places. Write one affirmative sentence and one negative sentence for each. You may use the suggested words or any others you know.

Vocabulaire utile: américain, calme, canadien, capable, discret, dynamique, fort, généreux, gentil, grand, heureux, intellectuel, intelligent, intéressant, joli, laid, magnifique, mince, nerveux, ridicule, sportif, sympathique, triste

MODÈLE: Mon (*My*) ami _____ [nom]… →
Mon ami Charlie est sportif. Il n'est pas calme du tout.

1. Mon amie _____ [nom] _____

_____

2. Mes amis, en général, _____

_____

3. Mon professeur de _____ [sujet] _____

_____

4. Le président des États-Unis _____

_____

5. La musicienne _____ [nom] _____

_____

6. La ville (*city*) de _____ [nom] _____

_____

7. Les hommes, en général, _____

_____

8. Les femmes, en général, _____

_____

Regards sur la culture

Un boulanger à Montréal

Voici la publicité de la boulangerie *Traditions*, de Montréal.

BOULANGERIE
Traditions

pour
le pain artisanal

L'Art du Pain

Les boulangers de la boulangerie *Traditions*
préparent des produits[a] de grande qualité.
Qu'est-ce que vous pensez de[b] notre boulangerie?
Vos commentaires sont importants!

	Excellent	Bon	À améliorer[c]
Qualité	☐	☐	☐
Fraîcheur[d]	☐	☐	☐
Service	☐	☐	☐
Rapidité	☐	☐	☐
Variété	☐	☐	☐
Courtoisie[e]	☐	☐	☐

Nom: _____

Numéro de téléphone: _____

E-mail: _____

[a]*products* [b]*Qu'est-ce... What do you think of* [c]*À... Needs improvement* [d]*Freshness* [e]*Courtesy*

Qui aime quoi? (*Who likes what?*) Here are three responses to the bakery's questionnaire. Write the names of the respondents next to the sentences that express their opinions. For some sentences, you will write more than one name.

L'Art du Pain	L'Art du Pain	L'Art du Pain
Les boulangers de la boulangerie *Traditions* préparent des produits de grande qualité. Qu'est-ce que vous pensez de notre boulangerie? Vos commentaires sont importants!	Les boulangers de la boulangerie *Traditions* préparent des produits de grande qualité. Qu'est-ce que vous pensez de notre boulangerie? Vos commentaires sont importants!	Les boulangers de la boulangerie *Traditions* préparent des produits de grande qualité. Qu'est-ce que vous pensez de notre boulangerie? Vos commentaires sont importants!

Form 1:

	Excellent	Bon	À améliorer
Qualité	☑	☐	☐
Fraîcheur	☑	☐	☐
Service	☐	☐	☑
Rapidité	☑	☐	☑
Variété	☐	☑	☐
Courtoisie	☐	☐	☑

Nom: *Jacques Baumier*
Numéro de téléphone: *(514) 875-4967*
E-mail: *JB17@netaxis.ca*

Form 2:

	Excellent	Bon	À améliorer
Qualité	☑	☐	☐
Fraîcheur	☑	☐	☐
Service	☑	☐	☐
Rapidité	☑	☐	☐
Variété	☐	☑	☐
Courtoisie	☑	☐	☐

Nom: *Claire Roy*
Numéro de téléphone: *(514) 932-9114*
E-mail: *ClaireRoy@yahoo.com*

Form 3:

	Excellent	Bon	À améliorer
Qualité	☐	☑	☐
Fraîcheur	☐	☑	☐
Service	☑	☐	☐
Rapidité	☑	☐	☐
Variété	☐	☑	☐
Courtoisie	☑	☐	☐

Nom: *Marie-Laure Tessier*
Numéro de téléphone: *(514) 844-9862*
E-mail: _____

1. J'adore la boulangerie *Traditions*.

   _____

2. Le pain est excellent, mais le service est mauvais.

   _____

3. La variété est bonne.

   _____

4. Je suis contente du service.

   _____

5. La qualité et la fraîcheur sont excellentes.

   _____

*S*tructure 7

*L*es verbes réguliers en **-er** et la construction *verbe* + *infinitif*

Talking about everyday actions

A. Prononciation. There are three important things to remember about the pronunciation of regular **-er** verbs.

1. The endings of **-er** verbs for **je, tu,** singular **il/elle/on,** and plural **ils/elles** are never pronounced, so all four verb forms sound exactly alike. The subject noun or pronoun helps to clarify meaning. Listen and repeat.

   je parle   tu parles   on parle

There is also no difference in the sound of the subject pronoun for **il** singular and **ils** plural or for **elle** singular and **elles** plural. Repeat each of the following examples after you hear it.

il parle / ils parlent   elle parle / elles parlent

Because the singular and plural sound exactly alike, it is the context of the rest of the conversation that will tell you whether the subject and verb are singular or plural.

2. Before a verb beginning with a vowel sound, the final consonant of **nous, vous, ils,** and **elles** is pronounced as /z/ at the beginning of the verb that follows it. As you saw in **Prononciation et orthographe**, this linking is called **liaison**. Listen to the difference between the verbs that start with a consonant and those that start with a vowel sound. Repeat each example after you hear it.

nous dînons   *but:* nous /z/adorons
vous parlez   *but:* vous /z/aimez
ils travaillent   *but:* ils /z/habitent
elles cherchent   *but:* elles /z/étudient

3. In a similar way, before a verb form beginning with a vowel sound, the final consonant of **on** is pronounced as /n/ and a **liaison** is made. Listen to the difference between a verb that starts with a consonant and one that starts with a vowel sound. Listen and repeat.

on regarde   *but:* on /n/écoute

Now listen to each sentence and repeat it aloud. Then indicate whether the subject is one person or more than one person or whether it is impossible to say (**impossible à dire**). You will hear each sentence twice.

	1.	2.	3.	4.	5.	6.	7.
une personne	☐	☐	☐	☐	☐	☐	☐
2+ personnes	☐	☐	☐	☐	☐	☐	☐
impossible à dire	☐	☐	☐	☐	☐	☐	☐

B. À la radio. Read each sentence aloud after you hear it. Remember to use **liaison** when necessary. After you read it aloud, listen to the sentence again.

MODÈLE: You hear: Serge et Christine travaillent à la radio.
         You say: Serge et Christine travaillent à la radio.
         You hear: Serge et Christine travaillent à la radio.

1. Ils adorent le travail de journaliste.
2. On écoute l'émission tous les matins (*every morning*).
3. Ils interviewent souvent des personnes dynamiques.

C. Catherine cherche du travail. Listen to the text once, then listen again and fill in the blanks.

Catherine, une étudiante américaine, _____[1] du travail à Paris. Elle n'aime pas

travailler dans un bureau. Elle _____[2] mieux l'atmosphère des restaurants.

Catherine pense qu'il est très difficile de trouver un travail. Des amis français montrent un

journal[a] à Catherine et lui[b] _____[3] des conseils.[c]

JEANNE: Nous _____[4] les annonces.[d]

CATHERINE: Est-ce que vous _____[5] la radio?

[a]montrent... *show a newspaper* [b](*to*) *her* [c]des... *advice* [d]*ads*

DIDIER: Non, mais nous parlons avec des amis. Tu _____⁶ à Paris, non?

CATHERINE: Oui, j' _____⁷ la philosophie à l'université.

JEANNE: Très bien! Les étudiants _____⁸ toujours du travail dans la

cafétéria à l'université. Le patron^e _____⁹ travailler avec les

étudiants. Les étudiants sont amusants mais ils _____¹⁰ bien,

aussi.

^e*boss*

D. La vie de tous les jours. Listen to these people from French-speaking places talk about their daily lives. Then say that someone else has the same kind of life.

MODÈLE: You hear: Nous habitons à Paris.
You see: Jean-François…
You say: Jean-François habite à Paris aussi.
You hear: Jean-François habite à Paris aussi.

1. Marie-Claire…
2. Tu…
3. Gérard et Sophie…
4. Vous…
5. Nous…
6. Vous…

E. Préférences. Look at each drawing and tell whether the person adores doing the activity, likes doing the activity, or hates doing the activity. Use **adorer, aimer,** or **détester** plus one of the expressions in the list.

Vocabulaire utile: bien dîner, écouter le musicien de rock, gagner (*to win*) la course à trois-pieds, porter un tee-shirt et un jean, regarder la télévision

MODÈLE:

Il déteste regarder la télévision.

1. _____
   _____

2. _____
   _____

3. _____
   _____

F. Généralisations. Use the following verbs and expressions to write about what people do and don't do. Use the expressions in the list or others you know. Write two sentences for each item.

Vocabulaire utile: dîner au restaurant, donner des cadeaux (*gifts*), écouter toujours la radio, étudier, habiter dans un appartement, parler souvent au téléphone, penser que… , porter un jean, préparer le dîner, regarder des films français, travailler dur (*hard*), visiter la ville de…

1. Je (J') _____

_____

2. Mes amis et moi, ensemble, nous _____

_____

3. Les hommes américains _____

_____

4. Les femmes américaines _____

_____

Structure 8

*L*a place des adjectifs

Describing people and things

A. La place de l'adjectif. Listen to each sentence and put a check mark in the appropriate column to tell whether the adjective precedes or follows the noun.

	PRECEDES THE NOUN	FOLLOWS THE NOUN
1.	☐	☐
2.	☐	☐
3.	☐	☐
4.	☐	☐
5.	☐	☐
6.	☐	☐

B. Descriptions. Create new sentences by correctly placing the given adjectives in the sentences you hear, either before or after the noun, as necessary.

MODÈLE: You hear: C'est une productrice.
You see: mauvaise
You say: C'est une mauvaise productrice.
You hear: C'est une mauvaise productrice.

1. intelligent
2. amusant
3. nerveuse (*nervous*)
4. bonne, artisanale
5. petit, ridicule

C. L'amour pour toujours. A professional matchmaker needs to understand what her clients want in a partner, but she just can't get it right. Her clients have to correct her every time! Write what they say.

> MODÈLE: ELLE: Vous aimez les hommes stupides? (intelligent) →
> CLIENTE: Mais non, j'aime les hommes intelligents.

1. ELLE: Vous adorez les femmes parisiennes? (canadien)

   CLIENT: _____

2. ELLE: Vous désirez trouver un homme intelligent? (riche)

   CLIENTE: _____

3. ELLE: Vous adorez les femmes laides? (joli)

   CLIENT: _____

4. ELLE: Vous désirez trouver une personne amusante? (sérieux)

   CLIENTE: _____

5. ELLE: Vous aimez les mauvais athlètes? (bon, dynamique)

   CLIENTE: _____

6. ELLE: Vous aimez mieux les petites femmes intellectuelles? (grand, sportif)

   CLIENT: _____

D. Léonore à l'école. Léonore goes to school in Paris. Describe her school by putting the correct forms of the indicated adjectives in their proper places in each sentence. The nouns that the adjectives describe are shown in italic type.

1. C'est une *école.* (grand, parisien)

   _____

2. Léonore est dans une *classe.* (bon, actif)

   _____

3. Les *enfants* aiment étudier. (joli, petit)

   _____

4. Ils regardent une *plante* (*f.*) au Jardin des Plantes. (grand, préhistorique)

   _____

5. Le directeur de l'école est un *homme.* (dynamique, intéressant)

   _____

6. La secrétaire est une *femme.* (inquiet, nerveux)

   _____

7. Héloïse est une *institutrice.* (bon, sympa)

   _____

8. C'est une *femme.* (gentil, intelligent)

   _____

E. Poème. Write a pyramid poem using the nouns, adjectives, and verbs you have learned. Use a format similar to the following.

nom
adjectif, adjectif, adjectif
verbe, verbe, verbe, verbe

Sujets possibles: un ami, Canal 7, la classe, les enfants, un étudiant, les femmes, le film, les hommes, l'ordinateur, la vie

MODÈLE:

le Jardin des Plantes
grand, intéressant, joli
chercher, trouver, regarder, aimer

Visionnement 2

Après le visionnement. Look at this photo and think about the cultural information you read in this chapter. Then match elements from the two columns to make complete sentences.

_____ 1. Les vêtements (*clothes*) de M. Liégeois…

      a. est content de reconnaître (*recognize*) le pain artisanal.

_____ 2. M. Liégeois…

      b. est une tradition importante.

_____ 3. Le pain artisanal…

      c. sont importantes pour les Français.

_____ 4. Bruno…

      d. est un boulanger traditionnel.

_____ 5. Certaines traditions…

      e. indiquent (*indicate*) sa profession.

écrire

Portrait d'une vedette de télévision américaine

Create a portrait of an American television personality.

Step 1. Use the following questions to organize your paragraph. You can answer them in this order or a different order; you can also combine the answers to more than one question into one sentence or answer one question with more than one sentence.

1. Qui est cette (*Who is this*) personne? _____

2. Quel (*What*) est le nom de son (*his/her*) émission? _____

3. Quel est le genre (*type*) de cette émission: une comédie? un drame? une émission de sport? un

    magazine télévisé? les actualités (*news*)? _____

4. Comment est cette personne: compétente? sincère? amusante? laide? _____

    _____

5. Est-ce que vous admirez cette personne? Pourquoi (*Why*)? _____

    _____

Step 2. You will also need to decide what other words to use. Here are a few words and phrases to get you started. If you want to use some of your own, write them in the space provided.

Vocabulaire utile: acteur/actrice, admirer, animateur/animatrice (*host*), comme (*like, as*), drôle (*funny*), intelligent(e), intéressant(e), le monde (*world*), parce que (parce qu') (*because*)

_____

_____

_____

Step 3. Now, write your composition. You can follow the model in Step 4 (next page), or put the information in a different order. Be sure to make your answers to questions 4 and 5 (in Step 1, above) more precise and specific by using some of the expressions you already know, such as **mais, toujours, souvent, parfois, rarement, ne... jamais,** and **ne... pas du tout.** When you are finished, go on to Step 4.

_____

_____

_____

_____

_____

_____

_____

Step 4. Before turning in your composition, check for and correct errors.

MODÈLE:

Kat**ie** Couric es**t** l'animatrice de l'émission
«Today». C'est un magazine télévisé très
intéressant. J'admire Couric parce qu'elle
est toujours intelligent**e** et sincère, et elle
n'est jamais ridicule. Elle parle souvent
avec des (importantes personnages) dans le monde.

> Check for correct verb forms.

> Check for correct spelling.

> Check for correct adjective forms and placement.

Dossier culturel

A. **Astérix.** Go to **www.mhhe.com/debuts** for a link to information about **Astérix.** Choose two characters. Then create and complete a chart like the following example. Note that you may find information in English on this site, but you should provide the wording from the French site as much as possible.

nom[a] *(en français)*		
son rôle		
traits de caractère (2–3 adjectifs en français)		
traits physiques (2–3 adjectifs en français)		
sa devise[b] ou ses mots préférés		

[a]*name*   [b]*sa... his/her motto*

B. **La BnF.** Go to **www.mhhe.com/debuts** for a link to information about the **Bibliothèque nationale de France.** An English version may be available, but you should provide wording from the French site.

1. Among the cultural events presented at the **BnF,** which ones would you be interested in seeing? Choose one exhibit (**exposition**), one lecture (**conférence**), and one concert, giving the title and the date of each.

2. The **BnF** has an extremely rich history dating back to the 14th century. Based on what you learn from the website, write a short paragraph about the library's history and importance. Be sure to mention at least two key figures and at least four key dates.

Chapitre 3

Le Médaillon

Vocabulaire en contexte

Les environs de Canal 7

🎧 **A.** **Le quartier de Stéphane.** Listen to Stéphane describe his neighborhood and complete the following passage with the missing words. You will hear the passage twice. The second time, the speaker will pause after every sentence to give you time to write.

Je n'habite pas dans un grand _____.[1] J'aime habiter

_____.[2] C'est _____[3] de Toulouse. J'habite

_____[4] du Bon Pasteur. L'immeuble est _____[5] un parc. Le

café Chez Étienne est _____[6] l'appartement. Il y a une petite bibliothèque

_____[7] café. Il n'y a pas de _____[8] dans le quartier. Le

cinéma _____[9] en ville.[a] _____[10] le café et la rue du Bon

Pasteur, il y a quelques[b] petits _____.[11] Et _____[12] l'appar-

tement, de l'autre côté du parc? _____,[13] il y a _____[14]

Monoprix. _____,[15] Le Coq Hardi, est à côté du supermarché. Il y a

_____[16] au-dessus du restaurant. _____[17] se trouve dans

la rue Aziz. Il y a _____[18] simple mais confortable dans la rue Montaigne.

[a]en... in the city [b]several

B. **Vrai ou faux?** Decide whether the following statements are true or false, based on what you have learned about Stéphane's neighborhood. Circle **vrai** for true, **faux** for false.

1.	Un cinéma se trouve dans la rue Montaigne.	vrai	faux
2.	La librairie est à côté du restaurant.	vrai	faux
3.	Il n'y a pas de poste dans le quartier de Stéphane.	vrai	faux
4.	Le café s'appelle (is called) «Chez Étienne».	vrai	faux
5.	Stéphane habite dans la rue du Bon Pasteur.	vrai	faux
6.	Le supermarché est loin du restaurant.	vrai	faux
7.	Le quartier de Stéphane est grand.	vrai	faux
8.	Il y a une bibliothèque dans le quartier de Stéphane.	vrai	faux

C. **Quel lieu?** Using complete sentences, name the building or place that you associate with the following descriptions. Begin each sentence with **c'est** and remember to use the correct indefinite article.

Vocabulaire utile: banlieue, bâtiment, bibliothèque, bureau, centre sportif, cinéma, hôtel, parking, poste, restaurant, supermarché

MODÈLE: un lieu où (*a place where*) on trouve des lettres, des cartes postales et des paquets →
C'est une poste.

1. un bâtiment universitaire où il y a des livres et des ordinateurs

_____

2. une salle où on travaille

_____

3. Ce n'est pas une ville. C'est plus (*more*) petit.

_____

4. un grand bâtiment où on joue (*plays*) au basket-ball

_____

5. par exemple: un hôtel, un restaurant, un cinéma, une bibliothèque

_____

6. C'est un bâtiment où on dîne.

_____

7. un lieu où on trouve des automobiles

_____

8. On regarde des films ici.

_____

9. un bâtiment où on trouve des fruits, des biscuits et d'autres provisions

_____

D. **Où sont les chats? (*Where are the cats?*)** A number of cats have found their way into a classroom. Based on the following drawing, use complete sentences to indicate where each cat is located. *Note:* You should use all but one preposition and all but one of the classroom vocabulary words in your answers.

Prépositions: à côté de, dans, derrière, devant, en face de, entre, près de, sous, sur

Substantifs utiles: le bureau, la chaise, les élèves, la fenêtre, les livres, la maîtresse, le mur, l'ordinateur, le tableau

MODÈLE: Un chat est à côté du tableau.

1. _____

2. _____

3. _____

4. _____

5. _____

6. _____

7. _____

8. _____

E. **À vous!** Write five sentences in French about your ideal neighborhood. What would it include? Where would the various buildings be located? Use a variety of nouns and prepositions from this section's presentation or any other words you know.

1. _____

2. _____

3. _____

4. _____

5. _____

ℒes nationalités, les origines régionales et les langues

A. Quel pays? Listen to the nationality of the following people and say which country or place they are from. Circle the country you choose.

> MODÈLE: You see: la France   le Japon   le Québec
> You hear: Bernard est français.
> You say, then circle: (la France) le Japon   le Québec
> You hear: la France

1. les États-Unis   le Maroc   le Mexique

2. l'Allemagne   l'Amérique   l'Angleterre

3. l'Algérie   l'Allemagne   l'Angleterre

4. l'Espagne   l'Amérique   la Chine

5. la Chine   le Japon   le Mexique

6. les États-Unis   la France   le Viêtnam

7. le Canada   les États-Unis   la France

B. Quelle langue? Which languages are spoken in the following places? You may use a language more than once.

Vocabulaire utile: allemand, anglais, arabe, chinois, espagnol, français, japonais, vietnamien

> MODÈLE: Au Mexique, en Espagne et aux États-Unis, →
> on parle espagnol.

1. À Beijing et à Hong Kong, _____.

2. En Algérie, au Maroc, en Tunisie, _____ et _____.

3. À Boston, à Sydney et à Édimbourg, _____.

4. En Allemagne et en Suisse, _____.

5. Dans des pays francophones, _____.

6. À Tokyo et à Kyoto, _____.

7. À Hanoi, _____.

C. Quelle nationalité? List the nationality of the following persons, places, or things. Be careful to make any necessary agreements. Use each nationality only once.

Vocabulaire utile: algérien, allemand, américain, anglais, canadien, chinois, espagnol, français, japonais, marocain, mexicain

> MODÈLE: La tour Eiffel et l'Arc de Triomphe sont des monuments (*m.*) →
> français.

1. Le sushi est un plat (*dish*)_____.

2. Vicente Fox est le président_____.

3. Le Québec est une province _____.

4. Antonio Banderas et Penelope Cruz sont des acteurs _____.

5. La Volkswagen est une automobile _____.

6. Casablanca et Fez sont des villes (*f.*) _____.

7. Jackie Chan est un acteur _____.

8. Le Canada, les États-Unis et le Mexique sont des pays (*m.*) _____.

D. Le monde est petit. (*The world is small.*) Listen to where the following men and women live and/or what language(s) they speak. Indicate their nationality based on what you hear. Be sure to make gender agreement where necessary.

> MODÈLE: You see: elle / chinois / vietnamien
> You hear: Guo Guo parle mandarin et habite en Chine.
> You say: Elle est chinoise.
> You hear: Elle est chinoise.

1. il / français / québécois
2. il / marocain / mexicain
3. elle / mexicain / espagnol
4. elle / anglais / allemand
5. elle / japonais / vietnamien
6. elle / américain / espagnol

E. Une leçon de géographie. Complete the following general statements about various countries. Fill in the blanks with the appropriate country, nationality, or people. Remember to use capital letters and definite articles wherever necessary.

1. Certains _____ habitent au Québec et parlent français. Ce sont les

   Québécois.

2. La majorité des touristes _____ à New York habitent près de Tokyo.

3. La capitale des _____ est Washington, DC. Le président

   _____ habite là.

4. _____ et la Chine sont des pays asiatiques.

5. _____ et _____ sont les deux langues officielles du

   Québec.

6. L'Algérie est un pays situé entre _____ et la Tunisie.

7. _____, _____, la France et l'Angleterre sont quatre

   pays de l'Union européenne.

8. _____ est un pays nord-américain dont (*whose*) la langue officielle est

   l'espagnol.

9. _____ est une province nord-américaine dont la langue officielle est le

   français.

Visionnement 1

A. Dans le film. Based on what you've seen in the film, determine the relationships between the different characters. Are they colleagues (**collègues**)? friends (**amis**)? family (**famille**)? *Note:* More than one answer may apply.

> MODÈLE: Yasmine et Rachid → famille

	COLLÈGUES	AMIS	FAMILLE
1. Camille et Bruno	☐	☐	☐
2. Bruno et Rachid	☐	☐	☐
3. Martine et Rachid	☐	☐	☐
4. Sonia et Rachid	☐	☐	☐
5. Bruno et Hélène	☐	☐	☐

B. À propos des personnages

Step 1. Based on your sense of Bruno's character thus far, match the sentence fragments to make guesses about his life. *Note:* Sentences that include two blanks require two answers.

1. La mère (*mother*) de Bruno _____.
2. Le père (*father*) de Bruno _____ et _____.
3. La famille de Bruno _____.
4. Le petit Bruno _____.
5. Bruno adulte _____.
6. Les collègues de Bruno _____ et _____.

a. désire voyager autour du monde
b. est assez (*rather*) grande
c. respectent Bruno
d. est chorégraphe (*choreographer*)
e. est un grand reporter pour «Le Monde» (*"The World"*)
f. meurt (*dies*) en Chine
g. a une enfance heureuse
h. trouvent Bruno sympathique

Step 2. Now listen to a passage about Bruno's life.

Parisien d'origine, Bruno est d'une famille bourgeoise et artiste. Pendant son enfance, son père[1] est un grand reporter au journal[2] «Le Monde». C'est pour cela que Bruno aime le journalisme. Mais cet[3] homme brillant est souvent absent. Pour le travail, il voyage[4] dans le monde entier.

Bruno grandit[5] entre sa[6] mère et ses trois sœurs.[7] Sa mère est chorégraphe à l'Opéra de Paris. Bruno est fasciné par les lumières[8] et par les spectacles de l'Opéra.

Il a 12 ans quand son père meurt[9] dans un accident, lors d'un reportage[10] en Chine. Un événement horrible qui marque[11] Bruno...

À l'âge de 18 ans,[12] Bruno fait un stage[13] à la télévision. Puis, il devient animateur[14] sur NRJ—une radio musicale. Il a du succès. Canal 7 lui propose ensuite[15] un poste de reporter, et maintenant[16] il présente le magazine «Bonjour!» avec Camille Leclair. Ses collègues respectent Bruno et pensent qu'il est sympathique.

[1]Pendant... *During his childhood* [2]au... *at the newspaper* [3]*this* [4]*travels* [5]*grows up* [6]*his* [7]ses... *his three sisters* [8]*lights* [9]Il... *He is 12 years old when his father dies* [10]lors... *during a reporting assignment* [11]événement... *horrible event that marks* [12]*years* [13]fait... *does an internship* [14]Puis... *Then he becomes a host* [15]*then* [16]*now*

Mais Bruno n'est pas satisfait: il aime «Bonjour!» mais il rêve de faire[17] de grands reportages autour du monde.[18] Néanmoins,[19] il continue à présenter «Bonjour!» à Canal 7. Est-ce qu'il préfère le confort[20] à l'aventure? Bruno ne peut pas répondre.[21] Tout le monde n'est pas un héros. C'est la vie...[22]

[17]rêve... *dreams of doing* [18]autour... *around the world* [19]*Nevertheless* [20]*comfort* [21]ne... *can't answer* [22]C'est... *That's life.*

Step 3. Now return to your answers in Step 1. Make any necessary changes based on what you learned in the passage.

C. Vous avez compris? (*Did you understand?*) Based on the passage, decide whether each of the following statements is true, false, or impossible to tell. Check off either **vrai, faux,** or **impossible à dire** to mark your answer.

> MODÈLE: You hear: Bruno travaille à la radio avant de (*before*) travailler à Canal 7.
> You choose: vrai

	VRAI	FAUX	IMPOSSIBLE À DIRE
1.	☐	☐	☐
2.	☐	☐	☐
3.	☐	☐	☐
4.	☐	☐	☐
5.	☐	☐	☐
6.	☐	☐	☐

D. Les pronoms accentués. Listen carefully to the following questions and use logic to answer with the correct stressed pronoun (**moi, toi, lui, elle, nous, vous, eux, elles**). Listen to verify your response.

> MODÈLE: You hear: C'est moi?
> You say: Oui, c'est toi.
> You hear: Oui, c'est toi.

1. ...   2. ...   3. ...   4. ...   5. ...   6. ...   7. ...

E. Toi aussi? Fill in the blanks with the correct stressed pronoun.

1. Tu es un très bon étudiant. J'aime travailler avec _____.

2. Nous cherchons Marguerite et Thérèse. Est-ce qu'elles sont chez _____ (*at home*)?

3. _____, je suis une personne heureuse. _____, il est souvent triste.

4. Claire parle souvent à Lucie et à Charles. Elle habite à côté de (d') _____.

5. —C'est la fille anglaise? —Oui, c'est _____.

6. Nous sommes très intellectuels, _____ et moi, n'est-ce pas, M. Beauclair?

7. Tout le monde aime être chez _____ (*at home*).

Prononciation et orthographe 🎧

Les voyelles /a/, /i/, /u/

La voyelle /a/

The sound /a/ is between the vowel sound in the English word *hat* and the vowel sound in the English word *hot*.* Listen and repeat.

avec   à   château   moi

Notice the various spellings that can produce this vowel sound. It can be represented as **a, à, â**. In the case of **moi**, the letter combination **oi** produces a /wa/ sound.†

La voyelle /i/

The sound /i/ is similar to the vowel sound in the English word *fee*. In English, a slight /j/ sound accompanies this vowel.

fee   /fi^j/   beat   /bi^{j}t/

This /j/ sound in the English words occurs as a result of the movement of the tongue and lips in an off-glide from the vowel. The French vowel is tenser and has no /j/ sound, so keep your muscles tense and do not move your tongue or lips. Listen and repeat.

Yasmine   dîner   stylo

Notice the various spellings that can produce this vowel sound. It can be represented as **i, î,** or **y.**

La voyelle /u/

The sound /u/ is similar to the vowel sound in the English word *boot*. In English, a slight /w/ sound accompanies this vowel.

boot   /bu^{w}t/   do   /do^w/

No such sound is found with the French vowel. The French vowel is tenser, with no off-glide /w/ sound, so keep your muscles tense and do not move your tongue or jaw. Listen and repeat.

Bouhazid   où   coûte

Notice the various spellings that can produce this vowel sound. It can be represented as **ou, où,** or **oû.**

A. Contrastes. You will hear pairs of English and French words. Circle the word you hear.

	ENGLISH	FRENCH		ENGLISH	FRENCH		ENGLISH	FRENCH
1.	back	bac	4.	seat	site	7.	ooh	où
2.	axe	axe	5.	ream	rime	8.	goo	goût
3.	pat	pâte	6.	clue	clou			

---

*Some people still make a distinction between /a/ in **avec** (/avek/) and **à** (/a/) and the sound /ɑ/ in **château** (/ʃɑto/) and **moi** (/mwɑ/), but the difference is disappearing in everyday speech.
†Also notice that the word **femme** contains an irregular spelling of this vowel—/fam/.

B. La famille Bouhazid. You will hear sentences that talk about Rachid's family. Listen to each sentence, then repeat it as carefully as you can, paying special attention to the highlighted vowels, which represent the vowel sounds presented in this section. You will hear each sentence twice. Repeat it each time you hear it.

1. La famille de Rachid vient du Maroc.
2. Sonia est la femme de Rachid.
3. Elle n'aime pas Paris parce qu'elle n'a pas d'amis.
4. Isabelle est l'institutrice de Yasmine.
5. Yasmine va au Jardin des Plantes avec la classe.
6. Là, les élèves regardent un coucou, un mouton (*sheep*), un hibou (*owl*) et un groupe de touristes!

Structure 9

Le verbe *aller* et le futur proche

Expressing movement and intention

A. Prononciation. The forms of the verb **aller** are irregular. Listen and repeat, trying to pronounce each form as much like the speaker as possible.

je vais	nous allons
tu vas	vous allez
il va	ils vont
elle va	elles vont
on va	

Notice that the second- and third-person singular forms all sound the same: /va/. You must pay attention to the pronoun, since it clarifies which person the speaker is talking about.

Now listen to each sentence once, and repeat it aloud. Then listen again and indicate whether the subject is one person or more than one person or whether it is impossible to say (**impossible à dire**).

	1.	2.	3.	4.	5.	6.
une personne	☐	☐	☐	☐	☐	☐
2+ personnes	☐	☐	☐	☐	☐	☐
impossible à dire	☐	☐	☐	☐	☐	☐

B. Où est-ce qu'on va? Create a new sentence from the one that you hear by replacing the subject with the one that you see. Be careful to change the conjugation of the verb as necessary. Listen to verify your response.

MODÈLE: You hear: Tu vas au cinéma.
You see: Philippe
You say: Philippe va au cinéma.
You hear: Philippe va au cinéma.

1. les élèves
2. maman
3. je
4. nous
5. l'instituteur
6. les touristes
7. le président
8. vous

C. Des activités amusantes. Where do the following people go to do the activities indicated? There may be more than one possible answer.

Vocabulaire utile: à la bibliothèque, à la librairie, à l'école, à Paris, au bureau, au cinéma, au Maroc, au restaurant, chez lui, en Chine

MODÈLE: Pour trouver des livres, les étudiants vont à la librairie.

1. Pour étudier, Marie-Claire et Suzanne _____.

2. Pour regarder des films, nous _____.

3. Pour regarder des monuments chinois, les touristes _____.

4. Pour parler arabe, je _____.

5. Pour dîner, vous _____.

6. Pour travailler, le secrétaire _____.

7. Pour écouter la maîtresse, les élèves _____.

8. Pour regarder la télé calmement (*calmly*), Hugues _____.

9. Pour voir (*To see*) la tour Eiffel, on _____.

D. Le week-end de Fatima. Look at the various places Fatima goes on weekends. Based on what you see, write a sentence stating whether she does or does not go there.

MODÈLE: l'université
Elle ne va pas à l'université.

1. la librairie _____

2. la poste _____

3. le cinéma _____

4. le jardin (*garden*) _____

5. le bureau _____

6. le centre sportif _____

7. la tour Eiffel _____

8. le Japon _____

9. le restaurant _____

E. Demain. (*Tomorrow.*) Respond to the following questions by using **aller** + infinitive (the near future) to indicate that all of the actions will take place tomorrow (**demain**) instead of now (**maintenant**).

> MODÈLE: Est-ce que Francine et Claude travaillent maintenant? →
> Non, ils vont travailler demain.

1. Est-ce qu'on dîne au restaurant maintenant?

   _____

2. Tu parles au prof maintenant?

   _____

3. Est-ce que maman et papa vont à la poste maintenant?

   _____

4. Est-ce que nous sommes prêts maintenant?

   _____

5. Mme de Sèze donne un cours maintenant?

   _____

6. Est-ce que les étudiants sont en classe maintenant?

   _____

7. Vous étudiez les maths maintenant?

   _____

F. De bonnes résolutions. The following people want to change their lives for the better. Write a complete sentence stating their resolutions using **aller** + infinitive. Use each resolution only once.

Vocabulaire utile: aller souvent au centre sportif, étudier la géographie, étudier souvent, habiter près du parc, ne pas regarder la télé, ne pas toujours travailler, parler toujours français en classe, visiter le Canada et d'autres pays francophones

> MODÈLE: Catherine n'est pas du tout sportive. →
> Elle va aller souvent au centre sportif.

1. Les étudiants parlent anglais en cours de français.

   _____

2. Nous aimons parler français.

   _____

3. Tu regardes toujours la télé.

   _____

4. Maman est souvent fatiguée.

   _____

5. J'adore les plantes.

_____

6. Paul est un mauvais étudiant.

_____

7. Vous détestez les mathémathiques.

_____

G. **Interview.** You are interviewing a student from Quebec about her life. Write the things you will ask and tell her, using a form of **aller** in each sentence.

1. Ask her how she is feeling.

_____

2. Tell her you will speak with her in French.

_____

3. Ask her if she often goes to the movies.

_____

4. Ask her if students often go to the library.

_____

5. Ask her if she is going to study geography.

_____

6. Ask her if everything's fine in her math class.

_____

Structure 10

$\mathcal{L}$es questions avec *n'est-ce pas? non? c'est ça? je suppose, d'accord? OK?*

Asking questions with tag phrases

A. **Prononciation.** You have already learned that a statement can be turned into a question by changing the intonation to a rising tone at the end of the sentence. Even when you form a question using **Est-ce que...**, the question ends with a rising tone. When a tag is added to the end of a statement, however, the statement portion of the sentence does not rise in tone. The tone rises only on the tag.

The tag **je suppose** presents a special case. With **je suppose,** the tone may descend rather than rise.

Listen to the following pairs of questions, and repeat each one after the speaker using the correct intonation.

1. Vous êtes journaliste? / Vous êtes journaliste, non?
2. Est-ce que tu es inquiet? / Tu es inquiet, n'est-ce pas?
3. Nous allons au restaurant? / Nous allons au restaurant, d'accord?
4. Tu es Michel Robidoux? / Tu es Michel Robidoux, c'est ça?
5. Tu parles au directeur? / Tu parles au directeur, OK?
6. Vous êtes canadien? / Vous êtes canadien, je suppose.

B. Une autre question. Restate the following **Est-ce que...** and intonation questions using the tag word indicated. Make the necessary changes in intonation to form the new question.

> MODÈLE: You see: non?
> You hear: Est-ce que vous êtes journaliste?
> You say: Vous êtes journaliste, non?
> You hear: Vous êtes journaliste, non?

1. c'est ça?
2. je suppose.
3. non?
4. OK?
5. d'accord?
6. n'est-ce pas?
7. non?

C. *D'accord* et *OK*. The tag phrases **d'accord?** and **OK?** are used to ask for agreement to do something. For each of the following responses, choose the most appropriate tag phrase in parentheses to create an appropriate question.

> MODÈLE: RÉPONSE: Non, je ne suis pas d'accord. Je déteste les films français!
> (n'est-ce pas? / OK?) →
> QUESTION: On va regarder un film français, OK?

1. RÉPONSE: Non, papa n'est pas prêt. (d'accord? / n'est-ce pas?)

   QUESTION: _____

2. RÉPONSE: Oui. Nous sommes espagnols! (c'est ça? / OK?)

   QUESTION: _____

3. RÉPONSE: Oui, c'est ça. Solange étudie à l'université. (d'accord? / je suppose.)

   QUESTION: _____

4. RÉPONSE: Pas du tout! C'est un très mauvais acteur! (non? / OK?)

   QUESTION: _____

5. RÉPONSE: Non, n'écoutons pas (*let's not listen to*) de la musique classique. J'aime mieux le rock.

   (c'est ça? / d'accord?)

   QUESTION: _____

D. La ville de Toulouse. You are visiting the city of Toulouse (in the southwest region of France) with a tour guide. Look at the map and its key, then ask the following questions in French using tag words.

Légende: 1—Univ. Sciences Sociales, 2—Bibliothèque Municipale, 3—Pharmacie de nuit (*night*), 4—Office de Tourisme, 5—École des Beaux-Arts, 6—Chambre de Commerce, 7—Palais de Justice

1. Ask if you are near a tourism office.

_____

2. Ask if there is an all-night pharmacy in Toulouse.

_____

3. Ask if the Jardin des Plantes is in the suburbs.

_____

4. Ask if there are good restaurants on rue Gambetta.

_____

5. Ask if the public library is far from Saint-Sernin Cathedral (**la cathédrale**).

_____

E. **La vie universitaire. (*University life.*)** You are interviewing a friend for an article about university life. Form questions with the elements provided, making the necessary changes in agreement and/or word order. Then write a logical answer to each question.

> MODÈLE: On / aller / parler / de / la vie universitaire / d'accord / ? →
> QUESTION: On va parler de la vie universitaire, d'accord?
> RÉPONSE: Oui, bien sûr!

1. Tu / être / étudiant / n'est-ce pas / ?

   QUESTION: _____

   RÉPONSE: _____

2. C'est / une université / bon / non / ?

   QUESTION: _____

   RÉPONSE: _____

3. Est-ce que / les cours / être / difficile / ici / ?

   QUESTION: _____

   RÉPONSE: _____

4. Tu / étudier / la biologie / c'est ça / ?

   QUESTION: _____

   RÉPONSE: _____

5. Tu / aller / devenir (*to become*) / professeur de biologie / je suppose / .

   QUESTION: _____

   RÉPONSE: _____

Regards sur la culture

Les souriards: expressions non-verbales pour Internet!

La communication non-verbale est très importante! Les souriards existent pour montrer des émotions dans des méls (*e-mail messages*).

LES SOURIARDS: SYMBOLES POUR INTERNET	
:-)	= je suis content(e)
:- D	= je suis très content(e)
: -I	= je suis indifférent(e)
: - (	= je ne suis pas du tout content(e)
:;- (	= je suis triste
:*D	= je suis un clown
:- >	= je suis sarcastique
:- x	= je ne parle pas

La communication non-verbale. Imagine that each of the following dialogues from *Le Chemin du retour* was taking place through e-mail. Draw the "smiley" that best fits with each sentence.

1. MARTINE: (*montre*[a] *un médaillon à Camille*) C'est à toi[b]? Le médaillon est ravissant.[c] (*désigne*[d]

   la photo) Qui est-ce? _____

   CAMILLE: (*referme*[e] *le médaillon*)… Merci, Martine. _____

   [a]*shows* [b]*à… yours* [c]*beautiful* [d]*points to* [e]*shuts*

2. RACHID: «Bonjour!» est une émission très sympa. Vous êtes forts,[o] Bruno et vous. _____

   CAMILLE: Merci. _____

   [o]*Vous… You're a strong team*

3. BRUNO: Hélène?… On se marie,[a] toi et moi? _____

   HÉLÈNE: D'abord,[b] je divorce avec Tom Cruise, OK? _____

   [a]*On… Let's get married* [b]*First*

4. BRUNO: (*désigne la photo de Sonia*) Eh! C'est ta femme[a]? Elle est jolie! _____

   Un peu mal à l'aise,[b] *Rachid ne dit rien*[c] *et prend*[d] *la photo de Bruno.* _____

   [a]*ta… your wife* [b]*Un… A little uncomfortable* [c]*ne… says nothing* [d]*takes*

*S*tructure 11

*L*e verbe *venir*

Expressing movement

A. Prononciation. The forms of the verb **venir** are irregular. Listen and repeat, trying to pronounce each form as much like the speaker as possible.

je viens	nous venons
tu viens	vous venez
il vient	ils viennent
elle vient	elles viennent
on vient	

Notice that all the singular forms sound the same: / vjɛ̆ /. You must pay attention to the pronoun, since it clarifies which person the speaker is talking about.

Now listen to each sentence once, and repeat it aloud. Then listen again and indicate whether the subject is one person or more than one person or whether it is impossible to say (**impossible à dire**).

	1.	2.	3.	4.	5.	6.
une personne	☐	☐	☐	☐	☐	☐
2+ personnes	☐	☐	☐	☐	☐	☐
impossible à dire	☐	☐	☐	☐	☐	☐

B. D'où viens-tu? Create a new sentence from the one you hear by replacing the subject with the one that you see. Be careful to change the conjugation of the verb as necessary.

>MODÈLE: You hear: Marie vient du Portugal.
>You see: tu
>You say: Tu viens du Portugal.
>You hear: Tu viens du Portugal.

1. les Hu
2. vous
3. on
4. maman et papa
5. je
6. nous
7. tu
8. Esteban
9. tout le monde

C. *Venir, devenir* **ou** *revenir?* You will hear several sentences using the verbs **venir, devenir,** and **revenir.** Say which verb you hear in each sentence.

>MODÈLE: You hear: D'où venez-vous?
>You say: venir
>You hear: venir

1. ...   2. ...   3. ...   4. ...   5. ...   6. ...   7. ...

D. Qu'est-ce qu'on devient? The following people are in the process of *becoming* something. Complete each sentence, using the correct form of **devenir** and a logical phrase from the list.

Vocabulaire utile: allergique, difficile, fascinés par la culture d'Espagne, instituteur, professeur d'anglais, riche et célèbre (*famous*), très inquiets, très sportif

1. Laurent est un jeune acteur. Il veut _____

   _____

2. Vous voulez travailler avec les petits enfants, alors vous _____

   _____

3. Quand on joue (*plays*) souvent au football, on _____

   _____

4. Janine étudie la littérature parce qu'elle (*because she*) _____

   _____

5. Quand les enfants regardent un film d'horreur, ils _____

   _____

6. Nous étudions espagnol et nous _____

   _____

7. Quand vous êtes pauvres (*poor*) et malheureux, la vie (*life*) _____

   _____

E. Quel verbe? Complete the following sentences with the correct form of **venir**, **devenir**, or **revenir**.

1. D'où _____-tu? D'Oran ou d'Alger?

2. —La maîtresse n'est pas en classe? —Non, elle va _____ dans dix minutes.

3. Hélène _____ très sportive. Elle va souvent au centre sportif.

4. Les enfants de Mme Michel _____ souvent en classe en retard (*late*).

5. Tu _____ folle (*crazy*), Claire! Calme-toi! (*Calm down!*)

6. Vous avez un petit accent anglais. D'où _____-vous, monsieur?

7. Je _____ de Liverpool, en Angleterre.

8. Samedi, Julie _____ la femme (*wife*) de Jean-Michel.

9. Nous _____ de Tokyo mais nous habitons maintenant (*now*) au Québec.

10. Tout le monde _____ parfois anxieux (*anxious*).

Visionnement 2

Après le visionnement. Thinking about the cultural information in this chapter and looking at the photo, decide whether the following pairs of people would shake hands in greeting or if they would kiss each other on the cheek. Check off the appropriate response.

		HANDSHAKE	KISS ON THE CHEEK
1.	Rachid et Camille	☐	☐
2.	Hélène et Bruno	☐	☐
3.	Hélène et Rachid	☐	☐
4.	l'institutrice et Yasmine	☐	☐
5.	Rachid et Yasmine	☐	☐
6.	Rachid et l'institutrice	☐	☐

	HANDSHAKE	KISS ON THE CHEEK
7. Bruno et Camille	☐	☐
8. Bruno et Rachid	☐	☐
9. Camille et le président de Canal 7	☐	☐

À écrire

Mon quartier

You are going to sublet your house or apartment to a French visitor. In a recent letter, he/she has asked you to describe your neighborhood and locate important businesses in it.

Step 1. Draw a map indicating the location of as many of the following places as possible: **un café, le centre sportif, le cinéma, un hôtel, une librairie, la poste, un restaurant, le supermarché.** If there are other kinds of places in your neighborhood, show them as well.

Step 2. Now decide how you might describe your neighborhood. The following list includes some suggestions: **agréable, bruyant** (*noisy*), **calme, dangereux, industriel, paisible** (*peaceful*), **sûr** (*safe*), **tranquille, verdoyant** (*green*). Write other adjectives on the lines provided.

———————————————————————————————

———————————————————————————————

———————————————————————————————

Step 3. Write your letter by supplying a short description of your neighborhood, describing locations and the quality of the various stores, restaurants, and so on. You may structure your letter based on the model, or you may organize it in your own way.

MODÈLE:

Monsieur,

Le quartier où j'habite est très agréable et très calme. Le supermarché Albertson's est dans la rue Grant. Il n'est pas très grand mais on trouve là les provisions nécessaires. Le supermarché n'est pas loin du cinéma, qui est situé dans la rue Homestead. À côté du cinéma, il y a un bon restaurant. Il s'appelle…

Bon voyage et à bientôt!

Jacques Carter

_____

_____

_____

_____

_____

_____

_____

_____

_____

_____

_____

Step 4. When you have finished your letter, read over your work and look for errors in spelling, punctuation, grammar (for example, agreement of subject and verb, agreement of noun and adjective), and vocabulary. If you find any errors, correct them.

Dossier culturel

Les gestes en France. Use print resources or go to **www.mhhe.com/debuts** for links to information about gestures in France. Find three typical French gestures that are not mentioned in Chapter 3. For each of them, give the meaning and an equivalent gesture in your culture, if any. If available, provide an illustration of each gesture.

Chapitre 4

Une nouvelle vie à Paris

Vocabulaire en contexte

La famille de Bruno Gall (le côté paternel)

A. **La famille de Leïla.** Listen and circle the word you hear in each printed statement. Then repeat each statement aloud. Consult the family tree on page 70 if you need help.

MODÈLE: You see: Leïla Farès est la cousine / la femme de Maurice Plasse.
You hear: Leïla Farès est la cousine de Maurice Plasse.
You circle: Leïla Farès est (la cousine) / la femme de Maurice Plasse.
You say: Leïla Farès est la cousine de Maurice Plasse.
You hear: Leïla Farès est la cousine de Maurice Plasse.

1. Leïla Farès est mariée / célibataire.

2. Badra Farès est la fille / petite-fille de Fatima et Mohammed.

3. Malek Farès / Roger Plasse est marié avec Christine Plasse.

4. Les grands-parents maternels / paternels de Leïla sont Jean-Marie et Danielle Plasse.

5. Habib Farès est le frère / beau-frère de Cherifa et Badra.

6. Leïla est la fille / la petite-fille de Mohammed et Fatima Farès.

7. Fatima Farès était (*was*) la belle-mère / la grand-mère de Sophie Farès.

8. Mohammed Farès est veuf / divorcé.

9. Christine Plasse est la belle-mère / la tante de Leïla.

10. Maurice Plasse et Rosa Fernandes sont divorcés / vivent en union libre.

Now verify your answers on Leïla's family tree.

B. Leïla et sa famille. Leïla's father is Algerian. Her mother is French. Study her family tree from Exercise A and in the following passage fill in the missing vocabulary for family and marital status.

Le _____¹ de Leïla s'appelle[a] Mohammed. La _____² de Mohammed s'appelle Fatima. Fatima est décédée[b] et Mohammed habite à Oran en Algérie. Les autres _____³ sont Jean-Marie et Danielle Plasse. Ils sont français et ils habitent à Béziers.

Mohammed et Fatima ont[c] trois _____:⁴ deux _____⁵ et un _____⁶ qui[d] s'appelle Habib. Habib est _____⁷ avec Sophie. Cherifa et Badra, les _____⁸ de Habib, ne sont pas mariées. Elles préfèrent être _____.⁹ Roger, le _____¹⁰ de Sophie, est marié avec Christine. Roger et Christine ont un _____.¹¹ Maurice est le _____¹² de Leïla. Il habite à Bézier près de ses[e] grands-parents. Maurice n'est plus marié. Il est _____¹³ et son[f] ex-femme s'appelle Rosa.

Sophie et Habib ont deux _____:¹⁴ un _____¹⁵ et une fille. Malek n'est pas marié, mais il vit[g] en union _____¹⁶ avec Chantal Saleb, sa copine.[h]

[a]*is called* [b]*deceased* [c]*have* [d]*who* [e]*his* [f]*his* [g]*lives* [h]*sa… his (girl)friend*

C. Identifier les personnes. Use the family tree and the information from Exercise B to identify the following people in Leïla's extended family.

1. une personne divorcée: ————————————————

2. les cousins de Maurice: ————————————————

3. le beau-père de Habib: ————————————————

4. un veuf: ————————————————

5. la belle-sœur de Christine: ————————————————

6. un couple marié: ————————————————

7. une personne avec un beau-frère: ————————————————

D. Quelle parenté? (*Which relationship?*) Look again at the family tree and explain how the following people are related. There may be more than one way to explain the relationship.

    MODÈLE: Habib Farès / Sophie Farès →
              Habib est le mari de Sophie. (*ou* Sophie est la femme de Habib. Habib et Sophie sont mariés.)

1. Badra Farès / Leïla Farès

——

2. Sophie Farès / Danielle Plasse

——

3. Roger Plasse / Sophie Farès

——

4. Jean-Marie Plasse / Malek Farès

——

5. Habib Farès / Malek Farès

——

6. Leïla Farès / Maurice Plasse

——

7. Fatima Farès / Habib Farès

——

E. **Votre famille. (*Your family.*)** Now draw your own family tree, labeling your relationship to the various family members.

```




```

*L*es nombres à partir de 60

A. **Quelle ville? (*Which city?*)** Listen to the population numbers for several cities in France. Write each number down as you hear it and indicate the city to which it corresponds, based on the following chart. You will hear each number twice.

POPULATION DES VILLES FRANÇAISES

Bordeaux	210.336 habitants
Brest	147.956 habitants
Clermont-Ferrand	136.181 habitants
Dijon	146.703 habitants
Lyon	172.142 habitants
Marseille	800.550 habitants
Nancy	99.351 habitants
Paris	2.152.423 habitants
Rennes	197.536 habitants
Strasbourg	252.338 habitants

MODÈLE: You see: Il y a _____ habitants à _____.
You hear: quatre-vingt-dix-neuf mille trois cent cinquante et un habitants
You write: Il y a *99.351* habitants à *Nancy*.

1. Il y a _____ habitants à _____.

2. Il y a _____ habitants à _____.

3. Il y a _____ habitants à _____.

4. Il y a _____ habitants à _____.

5. Il y a _____ habitants à _____.

6. Il y a _____ habitants à _____.

7. Il y a _____ habitants à _____.

8. Il y a _____ habitants à _____.

B. **Le juste prix. (*The price is right*.)** Using the verb **coûte** (*costs*) and the information in each cue, say the cost of each object.

> MODÈLE: You see: un bloc-notes / 1,67 €
> You say: Un bloc-notes coûte un euro soixante-sept.
> You hear: Un bloc-notes coûte un euro soixante-sept.

> MODÈLE: You see: un ordinateur / 2.482,00 €
> You say: Un ordinateur coûte deux mille quatre cent quatre-vingt-deux euros.
> You hear: Un ordinateur coûte deux mille quatre cent quatre-vingt-deux euros.

1. une BMW / 60.490,00 €
2. une Toyota / 20.999,00 €
3. un dictionnaire anglais-français / 61,98 €
4. un dîner pour dix personnes dans un restaurant cher / 770,00 €
5. un café (*coffee*) express / 2,79 €
6. un billet (*ticket*) de cinéma / 7,75 €

C. **Quel ordre? (*Which order?*)** List all of the following numbers in increasing numerical order. Write the number next to the word. The first one is done for you.

84	97	201	80
1.001	71	2.000	96
91	1.000.000	102	200
101	81	70	4.000.076

soixante-dix (70) _____

_____ _____

_____ _____

_____ _____

_____ _____

_____ _____

_____ _____

D. **Point? Virgule?** Use digits to write the numbers you hear. Be careful to use commas and periods correctly when necessary. Then read the number aloud.

> MODÈLE: You hear: cinq cent dix-huit mille vingt et un virgule cinquante
> You write: 518.021,50
> You say: cinq cent dix-huit mille vingt et un virgule cinquante
> You hear: cinq cent dix-huit mille vingt et un virgule cinquante

1. _____
2. _____
3. _____
4. _____
5. _____

6. _____
7. _____
8. _____
9. _____
10. _____

$\mathcal{L}$es jours de la semaine, les mois de l'année et les dates

A. Prononciation. Practice the pronunciation of the days of the week after the speaker.

lundi   mardi   mercredi   jeudi   vendredi   samedi   dimanche

Now practice the pronunciation of each month in the same way. Notice in particular how the French pronunciations differ from those of their English cognates.

janvier	avril	juillet	octobre
février	mai	août	novembre
mars	juin	septembre	décembre

Finally, practice the pronunciation of the following dates. Remember that the first of the month is **le premier**, but the other dates are expressed simply by **le** followed by the number of the day. In the case of numbers that begin with a vowel sound (**onze**) or a semi-vowel sound (**huit**),* you should not contract **le** with the number.

le premier janvier   le huit septembre
le vingt-trois mars   le onze juin

Now listen to each sentence. Then repeat it aloud, and circle the day or month named.

1. août   octobre

2. décembre   dimanche

3. février   mercredi

4. juin   juillet

5. lundi   jeudi

6. octobre   août

B. Des séries. You will hear a series of days or months. Repeat the sequence and add the next word in the series. Then write the word you added.

MODÈLE: You hear: juin, juillet
         You say: juin, juillet, août
         You hear: juin, juillet, août
         You write: août

1. _____   6. _____

2. _____   7. _____

3. _____   8. _____

4. _____   9. _____

5. _____   10. _____

---

*You will learn about semi-vowels in Chapter 10.

C. **Quelle est la date?** (*What is the date?*) Say each of the following dates. Remember that French dates are written and spoken with the day first and then the month and year.

      MODÈLE: You see: 12.07.99
                 You say: C'est le douze juillet mil neuf cent quatre-vingt-dix-neuf.
                 You hear: C'est le douze juillet mil neuf cent quatre-vingt-dix-neuf.

1. 1.1.1976
2. 30.4.1822
3. 6.11.1960
4. 4.5.2002

5. 29.12.1901
6. 15.2.2000
7. 28.8.1980

D. **Jours, semaines, mois, ans.** Fill in the blanks with the appropriate vocabulary words. Use each word only once. One word will not be used.

Vocabulaire utile: année, ans, aujourd'hui, date, jour, lundi, mois, premier, week-end

1. Le frère de Daoud a dix-huit _____ aujourd'hui. C'est son anniversaire.

2. Le _____ a deux jours—samedi et dimanche.

3. —Quelle est la _____ de votre anniversaire?

   —C'est le trente mai.

4. Je vais passer (*spend*) une _____ en Chine.

5. —Nous sommes le combien _____?

   —C'est le 2 novembre.

6. _____ est le premier jour de la semaine française.

7. Il y a douze _____ dans une année.

8. Le jour du poisson d'avril (*April Fools' Day*) est le _____ avril.

E. **Une interview.** You are interviewing a classmate about his life. Write the following questions in French.

1. Ask what is the date of his birthday.

   _____

2. Ask if he likes to travel in July or in August.

   _____

3. Ask if he works on Fridays.

   _____

4. Ask if he goes to the library on weekends.

   _____

5. Ask if he has a class on Monday.

   _____

6. Ask if he is going to study today.

   _____

Visionnement 1

A. Ce que nous savons. (*What we know*.) Check off whether each sentence is true or false, based on your knowledge of the story so far.

	VRAI	FAUX
1. Bruno désire le plat du jour (*daily special*).	☐	☐
2. Rachid désire un hamburger et un coca-cola.	☐	☐
3. Rachid parle de (*about*) son père et de sa mère.	☐	☐
4. Bruno parle de sa famille.	☐	☐
5. Rachid téléphone à Sonia.	☐	☐
6. Sonia répond (*answers*) au téléphone.	☐	☐
7. Rachid et Camille vont au Jardin des Plantes (*Botanical Garden*).	☐	☐

B. À propos des personnages

Step 1. Based on what you know about Sonia, Rachid's wife, try to answer the following questions.

1. Est-ce que Sonia travaille avec des adultes autistes (*autistic*) à Marseille?

_____

2. Est-ce que les parents de Sonia habitent à Alger?

_____

3. Est-ce que Sonia déteste Marseille?

_____

4. Est-ce que Sonia a froid (*is cold*) à Paris?

_____

5. Est-ce que Rachid et Sonia vont à l'université à Paris?

_____

6. Pour le couple Bouhazid, est-ce que la vie (*life*) est facile?

_____

Step 2. Now listen to a passage about Sonia.

À Marseille, avant de[1] venir à Paris, Sonia est heureuse. Elle est psychologue et elle travaille avec des enfants autistes. Elle adore son[2] travail. En plus, ses[3] parents, d'origine algérienne, habitent à Marseille. Toute[4] la famille aime Marseille; le soleil,[5] les gens,[6] la vie dans le sud[7] de la France. C'est une ville[8] très dynamique, mais pour Rachid, son mari, les opportunités de carrière[9] sont limitées. Quand[10] il accepte de travailler à Paris, à Canal 7, Sonia sait que le déménagement[11] va être difficile. Elle va être loin de ses parents, des enfants qu'elle aide et du beau[12] soleil marseillais. Mais elle décide que l'opportunité pour Rachid est très importante, et la

[1]avant... *before* [2]*her* [3]*her* [4]*All of* [5]*sun* [6]*people* [7]*south* [8]*city* [9]*career* [10]*When* [11]sait... *knows that the move* [12]*beautiful*

famille Bouhazid déménage. Maintenant,[13] elle est à Paris. Elle a froid,[14] elle a peur[15] et, pour le moment, elle n'a pas de travail. Elle désire retourner à Marseille mais Rachid n'est pas d'accord. Sonia quitte[16] l'appartement et erre[17] dans les rues de Paris. Elle aime Rachid et Yasmine. Elle pense à eux tout le temps.[18] Qu'est-ce qu'elle va faire[19]?

[13]*Now* [14]*a… is cold* [15]*a… is afraid* [16]*leaves* [17]*wanders* [18]*tout… all the time* [19]*Qu'est-ce… What will she do?*

Step 3. Now return to your answers in Step 1 and make any necessary changes based on what you learned in the passage.

C. **Vous avez compris?** (*Did you understand?*) Listen to the following statements. Based on what you heard and read in Exercise B, decide whether they apply to Paris or Marseille. Circle your choice.

1. Sonia est heureuse.	à Paris	à Marseille
2. Sonia n'a pas de travail.	à Paris	à Marseille
3. Les parents de Sonia habitent dans cette (*this*) ville.	à Paris	à Marseille
4. Sonia a froid.	à Paris	à Marseille
5. Sonia travaille avec des enfants.	à Paris	à Marseille
6. Sonia a peur.	à Paris	à Marseille

D. **Passé récent.** In the Visionnement 1 section of your textbook, you learned that **venir de** + infinitive is a construction you can use to tell about the immediate past. Using the following elements, write complete sentences in the immediate past.

MODÈLE: Stéphanie / trouver / un travail →
Stéphanie vient de trouver un travail.

1. l'acteur / regarder / le texte

_____

2. la maîtresse / donner / des crayons / aux élèves

_____

3. tu / revenir / du supermarché

_____

4. nous / aller / à la poste

_____

5. les touristes américains / visiter / le jardin botanique

_____

6. les élèves / étudier / l'histoire

_____

7. vous / parler / espagnol / avec le prof

_____

8. je / dîner / avec mes (*my*) grands-parents

_____

E. Passé, présent ou futur? Listen to each sentence, and check off whether it indicates a past, present, or future action. You will hear each sentence twice.

	PASSÉ	PRÉSENT	FUTUR
1.	☐	☐	☐
2.	☐	☐	☐
3.	☐	☐	☐
4.	☐	☐	☐
5.	☐	☐	☐
6.	☐	☐	☐
7.	☐	☐	☐
8.	☐	☐	☐
9.	☐	☐	☐
10.	☐	☐	☐

Prononciation et orthographe

Les voyelles /o/ et /ɔ/

La voyelle /o/

The sound /o/ is similar to the vowel sound in the English word *boat*. In English, this vowel is followed by a slight /w/ sound.

> boat   /bo^{w}t/

This /w/ sound occurs as a result of the movement of the tongue and jaw. To produce the French sound /o/, avoid any movement of the tongue and jaw. You should notice increased muscular tension as well. Listen and repeat.

> a**u**jourd'hui   bur**eau**   sac à d**o**s   styl**o**   h**ô**tel

Notice the various spellings that can produce this vowel sound. It can be spelled as **au, eau,** or **o** in an open syllable, or as **ô** in an open or closed syllable. The spelling **o** represents /o/ in a closed syllable before the /z/ sound. Listen and repeat.

> je supp**o**se

La voyelle /ɔ/

The sound /ɔ/ is somewhat similar to the vowel in the English word *cut*. It is spelled as **o** in a closed syllable and as **au** before the sound /ʀ/.

> rest**au**rant   **o**ctobre   éc**o**le   p**o**ste   h**o**rloge

A. Anglais ou français? Listen to the speaker, then circle the word you hear. Is it English or French?

	ENGLISH	FRENCH			ENGLISH	FRENCH
1.	aura	aura		5.	OK	OK
2.	cause	cause		6.	plateau	plateau
3.	dome	dôme		7.	port	porte
4.	don	donne		8.	so	sot

B. Répétez. Listen and repeat the following pairs of words after the speaker. The first word contains the /o/ sound, the second the /ɔ/ sound.

1. beau / bonne
2. faux / folle
3. pôle / police
4. idiot / idiote
5. hôtel / hostile

Structure 12

*L*es adjectifs possessifs; la possession avec *de*

Expressing possession

A. Mon, ma, mes? Listen carefully to the following sentences, then circle the possessive adjectives that you hear. You will hear each sentence twice.

> MODÈLE: You see: ta   tes
> You hear: Ta sœur n'habite pas loin de la banque.
> You circle: (ta) tes

1.	votre	notre		6.	leur	leurs
2.	mon	ma		7.	nos	vos
3.	leur	leurs		8.	ses	tes
4.	son	sa		9.	ma	ta
5.	ton	tes		10.	ton	son

B. Est-ce que c'est... ? Answer each question affirmatively, using a possessive adjective.

> MODÈLE: You hear: Est-ce que ce sont les amies de Philippe?
> You say: Oui, ce sont ses amies.
> You hear: Oui, ce sont ses amies.

1. ...   2. ...   3. ...   4. ...   5. ...
6. ...   7. ...   8. ...   9. ...   10. ...

C. **Une interview.** A Canadian journalist is interviewing a French woman about French families. Fill in each blank with the correct form of the possessive adjective.

CANADIEN: Alors, Nathalie, est-ce que la famille française est très unie[a]? Est-ce que les Français passent beaucoup de temps[b] avec _____1 famille?

FRANÇAISE: Impossible de généraliser. Moi, par exemple, je dîne souvent avec _____2 mère et _____3 grand-mère. Mais _____4 parents sont divorcés et _____5 père habite à Madrid. Pour nous, les Français, _____6 conception de la famille change. La famille contemporaine est bien[c] différente de la famille de _____7 grands-parents.

CANADIEN: Est-ce que les personnes âgées de la génération de _____8 grands-parents acceptent ces changements[d]?

FRANÇAISE: Je pense que les vieux souffrent beaucoup.[e] Par exemple, Mme Arène, _____9 voisine, aimerait voir[f] plus souvent _____10 petits-enfants. Mais _____11 petite-fille habite au Japon et _____12 petit-fils habite en Espagne avec _____13 femme.

[a]*close-knit* [b]passent... *spend a lot of time* [c]*quite* [d]*changes* [e]souffrent... *suffer a lot* [f]voisine,... *neighbor, would like to see*

D. **À qui?** (*Whose?*) To whom do the following things belong? Using the models as examples, write complete sentences using the correct possessive adjectives.

MODÈLES: le sac à dos / moi →
C'est mon sac à dos.

les crayons / Philippe →
Ce sont ses crayons.

1. le pays / les Marocains _____

2. le café / Mme Turin _____

3. les bâtiments / l'université _____

4. les émissions / tu _____

5. l'école / les enfants _____

6. la table / vous _____

7. les cours / je _____

8. le studio / Jojo _____

9. les livres / vous _____

10. le sandwich / Sandrine et Marie-Claire _____

11. le sac à dos / nous _____

12. l'école / tu _____

E. **Les amis de mes amis.** Using the model as a guide, write where the following people live.

> MODÈLE: Élise a des amis à New York. →
> Les amis d'Élise habitent à New York.

1. Mes parents ont des amis en Espagne.

   _____

2. Les Stockdale ont un fils au Canada.

   _____

3. Marie-Hélène a un ami en Angleterre.

   _____

4. Winston a une fille à Maui.

   _____

Now do the same thing, but use possessive adjectives.

> MODÈLE: Les Bekhechi ont une fille à Oran. →
> Leur fille habite à Oran.

5. M. Sanchez a une tante à Madrid.

   _____

6. J'ai un frère au Maroc.

   _____

7. Madeleine et Paul ont des parents en Allemagne.

   _____

8. Nous avons des amis à Rome.

   _____

9. Vous avez un oncle à Abidjan.

   _____

10. Les Vautrin ont un enfant au Mexique.

    _____

11. Mme Vautrin a un frère à Londres.

    _____

12. Jean-Luc a une belle-mère à Taiwan.

    _____

13. Ils ont un cousin à Beyrouth.

    _____

14. Tu as une élève à Aix-en-Provence.

    _____

Structure 13

Le verbe *avoir*; *il y a* et *il n'y a pas de*; expressions avec *avoir*

Expressing possession and physical conditions

A. Prononciation. The forms of the verb **avoir** are irregular. Listen and repeat, trying to pronounce each form as much like the speaker as possible.

j'ai	nous avons
tu as	vous avez
il a	ils ont
elle a	elles ont
on a	

Notice that the second- and third-person singular forms all sound the same: /a/. You must pay attention to the pronoun, since it clarifies which person the speaker is talking about.

In addition, the final **-s** on **ils** and **elles** is linked to the vowel at the beginning of **ont** and sounds like /z/. Listen and repeat.

ils /z/ont   elles /z/ont

Now listen to each sentence, and repeat it aloud. Then indicate whether the subject is one person or more than one person or whether it is impossible to say (**impossible à dire**). You will hear each sentence twice.

	1.	2.	3.	4.	5.	6.
une personne	☐	☐	☐	☐	☐	☐
2+ personnes	☐	☐	☐	☐	☐	☐
impossible à dire	☐	☐	☐	☐	☐	☐

B. Moi aussi. Listen to each sentence, then replace the subject with the one you see to create a new sentence. Be sure to use the correct form of **avoir**.

MODÈLE: You hear: J'ai cinq cours.
You see: tu
You say: Tu as cinq cours aussi.
You hear: Tu as cinq cours aussi.

1. les autres étudiants
2. vous
3. nous
4. sa tante
5. je

6. nous
7. mes amis
8. Jeanne
9. tu

C. Au négatif. Make the following sentences negative.

MODÈLE: You hear: Elles ont des cousins.
You say: Elles n'ont pas de cousins.
You hear: Elles n'ont pas de cousins.

1. ...   2. ...   3. ...   4. ...   5. ...
6. ...   7. ...   8. ...   9. ...   10. ...

D. Résumé. Retell details of Episode 4 in the film by completing these sentences using the logical expression in the parentheses.

1. Rachid _____ (avoir froid / avoir honte) d'admettre (*to admit*) sa

   séparation de Sonia.

2. Bruno dit (*says*) «Tu _____ (avoir faim / avoir soif)?» Il invite Rachid à

   aller à la cafétéria de Canal 7.

3. Bruno pense: «Avec un béret, j' _____ (avoir l'air / avoir besoin de)

   ridicule!»

4. Sonia n'aime pas Paris. Elle _____ (avoir froid / avoir chaud); à Marseille,

   le climat est plus (*more*) modéré.

5. Yasmine _____ (avoir peur de / avoir besoin de) ses parents.

E. Expressions avec *avoir*. Complete the following sentences, using the correct form of **avoir** and an idiomatic expression. Use each expression only once.

Vocabulaire utile: avoir... ans, avoir l'air, avoir besoin, avoir chaud, avoir envie, avoir faim, avoir froid, avoir peur, avoir soif

MODÈLE: Jérôme est un mauvais étudiant. Il a besoin d'étudier.

1. C'est mon anniversaire aujourd'hui. J' _____ vingt et un

   _____ maintenant (*now*).

2. Nous _____, alors nous portons un pull-over.

3. Les enfants _____. Ils vont dîner chez MacDo.

4. Vous _____ tristes. Ça ne va pas?

5. Mes parents adorent la culture japonaise et ils _____ d'aller au Japon au

   mois de juin.

6. Souvent, quand on a chaud, on _____ aussi.

7. Notre maîtresse n'est pas du tout sympa. Tout le monde _____ d'elle.

8. Il y a vingt-huit personnes dans notre petite salle de classe et il n'y a pas de fenêtres. Nous

   _____!

F. Est-ce qu'il y a... ? Is it typical to find the following people or things in the locations suggested? Use **il y a** or **il n'y a pas de** to answer each question.

MODÈLE: Est-ce qu'il y a généralement des cahiers dans une salle de classe? →
Oui, il y a des cahiers dans une salle de classe.

1. Est-ce qu'il y a généralement des enfants dans une discothèque?

   _____

2. Est-ce qu'il y a généralement une chaise dans un sac à dos?

   _____

3. Est-ce qu'il y a généralement des voitures dans un cinéma?

_____

4. Est-ce qu'il y a généralement des ordinateurs dans un jardin?

_____

5. Est-ce qu'il y a généralement des acteurs dans un film?

_____

6. Est-ce qu'il y a généralement des livres dans un centre sportif?

_____

G. **Et vous?** Now give the following information about yourself and your life. Write a complete sentence for each answer.

Écrivez (*Write*):

1. votre âge.

_____

2. combien de (*how many*) personnes il y a dans votre famille.

_____

3. l'âge des membres de votre famille.

_____

4. si (*whether*) vous avez peur des films d'horreur.

_____

5. combien d'étudiants il y a dans votre cours de français.

_____

6. où vous allez quand vous avez soif.

_____

7. où vous allez quand vous avez besoin d'exercice.

_____

8. si vous avez souvent honte.

_____

H. **Interview.** You are talking to a friend. Use an idiomatic expression with **avoir** to find out or say the following things.

1. Ask if she feels like studying Spanish.

_____

2. Ask if she needs to go to the library.

_____

3. Ask if she needs a dictionary.

    _____

4. Ask if she's ashamed to speak Spanish with you.

    _____

5. Ask if she's afraid of her Spanish professor.

    _____

6. Ask how old she is.

    _____

7. Tell her she looks tired.

    _____

8. Ask if she and her roommate just went to the movies.

    _____

Regards sur la culture

Les «Maisons régionales» de France à Paris

À PARIS, 4 MAISONS POUR PARTIR EN FRANCE.

Une «Région» est une division administrative de la France, un peu comme un état[a] ou une province en Amérique du nord. Une «Maison régionale»[b] présente la culture, la cuisine et le caractère d'une certaine partie de la France.

[a]un... *a little like a state*   [b]Maison... *Regional House*

Pour découvrir la France. (*Discovering France.*) Answer the following questions based on the information provided in the image. Remember that telephone numbers and postal codes are usually expressed in pairs of digits, unless a pair begins with a zero.

MAISON DE L'ALSACE
39, avenue des Champs-Élysées
75008 PARIS
Tél. 01.53.83.10.10
M° Franklin Roosevelt

MAISON DE LA BRETAGNE
203, boulevard Saint-Germain
75007 PARIS
Tél. 01.53.63.11.50
M° rue du Bac

MAISON DES PYRÉNÉES
15, rue Saint-Augustin
75002 PARIS
Tél. 01.42.61.74.73
M° Opéra, Quatre Septembre

MAISON DE SAVOIE
31, avenue de l'Opéra
75001 PARIS
Tél. 01.42.61.74.73
www.maisondesavoie.com
M° Pyramides, Opéra

4 adresses avec vue imprenable sur les régions

MODÈLE: You hear: Quel est le numéro de téléphone de la Maison de la Bretagne?
You say: C'est le zéro un, cinquante-trois, soixante-trois, onze, cinquante.
You hear: C'est le zéro un, cinquante-trois, soixante-trois, onze, cinquante.

MODÈLE: You hear: Quelle est l'adresse de la Maison de l'Alsace?
You say: C'est le trente-neuf avenue des Champs-Élysées, soixante-quinze, zéro, zéro, huit, Paris.
You hear: C'est le trente-neuf avenue des Champs-Élysées, soixante-quinze, zéro, zéro, huit, Paris.

1. …   2. …   3. …   4. …   5. …   6. …

Structure 14

Questions avec inversion et avec *où, quand, pourquoi, comment, combien de*

Asking for specific information

A. Quelle question? Listen to each question, then circle the question word(s) you hear. You will hear each question twice.

MODÈLE: You see: Qui? Où?
You hear: Où est-ce que tu vas habiter?
You circle: Qui? (Où?)

1. n'est-ce pas?   c'est ça?

2. Comment?   Combien?

3. Pourquoi?   Quand?

4. Quand?   Comment?

5. Où?   Quand?

6. OK?   D'accord?

7. Combien?   Quand?

B. Pardon? You are talking to a woman in a crowded room and can't quite hear what she says. Ask the speaker to repeat what she has said using the appropriate question word: **où, quand, pourquoi, comment, combien de.**

> MODÈLE: You hear: Nous allons au cinéma jeudi.
> You see: _____ est-ce que vous allez jeudi?
> You say: Où est-ce que vous allez jeudi?
> You hear: Où est-ce que vous allez jeudi?

1. _____ allez-vous?

2. _____ est-ce que vous habitez?

3. _____ enfants avez-vous?

4. _____ votre fils étudie-t-il l'informatique?

5. _____ est-ce qu'il va à l'université?

6. _____ étudiants y a-t-il dans sa classe?

7. _____ est-ce que vous allez?

8. _____ est-ce que vous allez en Algérie?

9. _____ allez-vous en Algérie?

10. _____ est-ce que vous allez revenir?

C. L'inversion. Restate the following questions using inversion.

> MODÈLE: Pourquoi est-ce que les parents de Marissa sont fâchés? →
> Pourquoi les parents de Marissa sont-ils fâchés?

1. Est-ce que nous avons besoin de trouver un hôtel?

   _____

2. Combien d'enfants est-ce qu'il y a dans la famille Laguerre?

   _____

3. Pourquoi est-ce que M. Mauve déteste les autres profs?

   _____

4. Est-ce que mes amis viennent de dîner ici?

   _____

5. Quand est-ce que tu vas avoir 21 ans?

   _____

6. Comment est-ce que vous allez à l'université?

   _____

7. Où est-ce qu'elle habite, ta sœur?

   _____

D. Une amie curieuse. Chantal always asks a lot of questions. Fill in the missing question words in the following conversation.

Vocabulaire utile: combien de, comment, est-ce que, où, pourquoi, quand

CHANTAL: Anne, _____¹ est-ce que tu as l'air triste?

ANNE: C'est parce que j'ai besoin d'étudier pour un examen de français et que je n'ai

pas envie de le faire.

CHANTAL: _____² est-ce que tu as l'examen?

ANNE: L'examen est mardi, mais je vais travailler lundi. Je travaille toujours le lundi.

CHANTAL: _____³ travailles-tu?

ANNE: À la bibliothèque.

CHANTAL: Et _____⁴ jours par^a semaine est-ce que tu travailles?

ANNE: Deux jours par semaine et j'ai trois cours à l'université.

CHANTAL: Oh, c'est beaucoup^b! _____⁵ tu vas venir au cinéma avec moi

vendredi?

ANNE: Oui, oui, je vais venir avec toi au cinéma. Mais _____⁶ est-ce

qu'on va y aller^c?

CHANTAL: En bus, bien sûr.

^a*per* ^b*a lot* ^c*y... go there*

E. Quelle question? (*Which question?*) Write a question that would prompt the italicized part of each given answer. Use **Est-ce que... ?** in the first five answers and inversion in the second five. Remember to use appropriate pronouns to make each question and answer a dialogue.

Questions avec *Est-ce que... ?*

1. _____

Non, je ne suis pas mariée. Je suis célibataire.

2. _____

Les acteurs vont travailler *au studio.*

3. _____

Nous dînons *parce que nous avons très faim.*

4. _____

Il y a *soixante-sept élèves* dans notre école.

5. _____

Oui, tu as l'air fatigué aujourd'hui.

Questions avec inversion

6. _____

   Nous allons *au cinéma* jeudi.

7. _____

   Je vais au centre sportif *parce que je suis très sportive.*

8. _____

   Élise parle *trois* langues (*languages*).

9. _____

   Ils parlent à leurs petits-enfants *le week-end.*

10. _____

    Non, ma mère n'habite pas loin de chez moi.

F. Interview. You are going to interview Madeleine, a student, for an article about university life. Ask questions using the following elements and form the type of question indicated by the speaker.

   MODÈLE: You see: tu / avoir / dix minutes / pour une petite interview?
            You hear: inversion
            You say: As-tu dix minutes pour une petite interview?
            You hear: As-tu dix minutes pour une petite interview?

   1. tu / habiter / près du campus?
   2. tu / aller / souvent / à la bibliothèque?
   3. cours / tu / avoir / ce semestre?
   4. tu / aimer / tes professeurs?
   5. tu / étudier?
   6. tu / dîner?

G. Le Chemin du retour. What questions would you ask David Lang, the screenwriter for *Le Chemin de retour*, about the story and/or making of the film? Use inversion, intonation, and the **est-ce-que** question forms.

   Vocabulaire utile: combien de, comment, où, pourquoi, quand

   1. _____
   2. _____
   3. _____
   4. _____
   5. _____
   6. _____

Visionnement 2

Après le visionnement. Thinking about what has happened in the film so far and looking at the photos and the list of captions, write at least two appropriate captions next to each photo.

Captions:
Nous avons soif.
Nous sommes heureuses.
J'ai froid.
Vous avez faim?
Nous sommes dans un parc.
Nous avons de très bonnes salades.
Il y a du choix (*choice*).
J'ai envie de voir (*to see*) ma fille.

1. _____

_____

_____

2. _____

_____

_____

3. _____

_____

_____

4. _____

_____

_____

À écrire ✎

Une famille

Think about your family and the family member who most resembles you, either in personality or in physical appearance.

Step 1. If you haven't already drawn a family tree (on page 72), draw one now. Make it go back three generations, to the generation of your grandparents. Label each person's name. If you already drew a family tree on page 72, make sure now that it shows all of this information.

Step 2. Provide a general orientation to the members of your immediate family (brothers, sisters, parents) by filling in the following grid.

RAPPORT FAMILIAL	ÂGE	COULEUR DES CHEVEUX	COULEUR DES YEUX	QUELQUES ADJECTIFS POUR DÉCRIRE SA PERSONNALITÉ

Step 3. Using the information you have compiled, write two paragraphs. Begin by describing your family in general terms. Then focus on the family member who most resembles you and explain why. You may also wish to point out in what ways you are different, using the expression **à la différence de,** for example: **À la différence de mon père, je ne suis pas cynique.**

MODÈLE: J'ai une petite famille. Mon père s'appelle David. Il a quarante-huit ans. Ma mère, Françoise…

Je ressemble beaucoup à ma tante. Comme elle, je…

_____

_____

_____

_____

_____

_____

_____

_____

_____

Step 4. When you have finished your paragraphs, read over your work and look for errors in spelling, punctuation, grammar (for example, agreement of subject and verb, agreement of noun and adjective), and vocabulary. If you find any errors, correct them.

Dossier culturel

A. **Les provinces françaises.** Using links at **www.mhhe.com/debuts** or printed resources, find a map of the French provinces and print or copy it. Then select three provinces and report about each one, naming its largest cities and telling some interesting facts for which it is known (for example, geographical points of interest, products, and types of cuisine). Make a chart such as the following to aid in your note taking.

PROVINCE	VILLE(S) IMPORTANTE(S)	CONNU(E)(S)° POUR

°Known

B. **Les média francophones.** Using links at **www.mhhe.com/debuts** or printed resources, research newspapers and magazines in French. Select one newspaper and one magazine. If the printed version is not available to you, visit the online version. For each newspaper/magazine, give the name, tell what kinds of topics it covers, and give your impressions of it. Also name an English-language publication that seems similar and explain the similarities to and differences from the French one.

C. **Le PACS.** Using links at **www.mhhe.com/debuts** or printed resources, locate a brief definition of PACS (**pacte civil de solidarité**) in French. Explain the term in your own words and tell when it was enacted. Why do you think it is a controversial law?

Chapitre **5**

Secrets

Vocabulaire en contexte

La maison: les pièces et les meubles

A. **L'appartement de Mélusine.** Answer each question by describing where in the apartment the object or room is located.

MODÈLE: You look at: the drawing of the apartment
You hear: Où se trouve la radio?
You see: sur
You say: La radio est sur le buffet.
You hear: La radio est sur le buffet.

1. à côté de
2. en face de
3. dans
4. près de
5. à côté de
6. entre l'évier (*sink*) et
7. en face de
8. à côté de
9. dans
10. sur

B. Le domicile de Nathalie. Read the following statements. Then listen to the description of Nathalie's home and decide whether the statements are true or false. Remember that **se trouve** means *is located*. You will hear the passage twice.

1. Nathalie habite dans une grande maison.   V   F

2. Elle habite au rez-de-chaussée.   V   F

3. Nathalie regarde la télé dans sa salle de séjour.   V   F

4. Il y a une table dans sa cuisine.   V   F

5. Sa salle de séjour est en face de la cuisine.   V   F

6. Elle n'a pas d'ordinateur chez elle.   V   F

C. Dans la maison. Complete the following sentences with the appropriate vocabulary word from the list. Use words only once.

Vocabulaire utile: appartement, armoire, canapé, chaîne stéréo, chambre, cuisinière, four à micro-ondes, frigo, immeuble, maison, portable, rez-de-chaussée, salle à manger, salle de bains

1. En général, on dîne dans sa _____ ou dans sa cuisine.

2. On prépare son dîner dans un _____ si (*if*) on n'a pas de cuisinière.

3. On a besoin d'une _____ pour écouter des disques compacts.

4. Ma _____ est très petite; j'ai une douche (*shower*), mais je n'ai pas de baignoire (*bathtub*).

5. L'appartement de M. Délécray se trouve au-dessous du premier étage (*first floor*), au

   _____.

6. —Ton ordinateur est dans la cuisine?!

   —Aujourd'hui, oui. Mais c'est un _____. Je travaille dans toutes (*all*) les pièces de la maison.

7. J'ai froid. Je vais chercher un pull-over dans mon _____.

8. Quand Paul est très fatigué, il s'endort (*falls asleep*) sur son _____ devant la télé.

9. Dans la _____ des enfants, il y a deux petits lits.

10. Monique cherche un coca dans le _____ parce qu'elle a soif.

11. Il y a huit appartements dans notre _____.

12. Un _____ est trop petit pour notre famille de huit enfants. Alors, nous habitons dans une grande _____ avec deux étages (*floors*) et un garage.

$\mathcal{L}$e studio de Chloé Gall

A. Quel objet? (*Which object?*) Listen to the following sentences and say which object is involved in the activities being described.

> MODÈLE: You see: un téléphone / un vélo
> You hear: Leïla parle à sa grand-mère.
> You say: C'est un téléphone.
> You hear: C'est un téléphone.

1. un vélo / un piano
2. une affiche / un répondeur
3. un magnétoscope / un lecteur de CD
4. une affiche / une guitare
5. un appareil photo / un vélo
6. un magnétoscope / un appareil photo
7. une guitare / un piano
8. un deux-pièces / un studio
9. un immeuble / un meuble
10. un vélo / une voiture

B. Où se trouve... ? Select from the vocabulary list which objects are most likely to be found in the following places or situations. Provide the correct indefinite article (**un, une, des**) with your answer and make the plural agreement when necessary.

Vocabulaire utile: affiche, appareil photo, guitare, lecteur de CD, magnétoscope, meuble, piano, répondeur, téléphone, vélo

> MODÈLE: Souvent, à côté ou au-dessous d'un téléviseur (*television set*), on trouve un magnétoscope.

1. Sur le mur d'une chambre d'étudiant, on trouve _____.

2. Un adolescent adore communiquer avec ses amis. Dans sa chambre, on trouve

   _____.

3. Dans un studio de musiciens de jazz, on trouve (par exemple) _____ ou

   _____.

4. Un touriste visite un monument historique. Dans son sac à dos, on trouve

   _____.

5. Quand j'ai besoin d'exercice physique, je vais chercher mon _____ dans

   mon garage.

6. Une personne n'est jamais chez elle. Près de son téléphone, on trouve

   _____.

7. Un homme aime la musique mais n'aime pas écouter la radio. Dans sa voiture, on trouve

   _____.

8. Dans la chambre de mes parents, on trouve les _____ suivants: un lit, un

   fauteuil, deux petites tables et une grande armoire.

Quelle heure est-il?

A. **Quelle heure est-il?** Answer the following questions by stating the time shown on each clock. Use the expressions **du matin, de l'après-midi,** or **du soir** as necessary.

MODÈLE: You see:

You hear: Quelle heure est-il?
You say: Il est six heures du matin.
You hear: Il est six heures du matin.

1.

2.

3.

4.

5.

6.

B. **Par écrit.** Write the time you hear.

MODÈLE: You hear: Il est deux heures et demie.
You write: 2 h 30

1. _____   6. _____

2. _____   7. _____

3. _____   8. _____

4. _____   9. _____

5. _____   10. _____

C. Oralement. (*Orally*.) Using complete sentences, say each time two ways: first as a 24-hour clock time and then as a 12-hour clock time.

>MODÈLE: You see: 12 h 15
>You say: Il est douze heures quinze. Il est midi et quart.
>You hear: Il est douze heures quinze. Il est midi et quart.

1. 17 h
2. 7 h 30
3. 8 h 15
4. 11 h 50

5. 23 h 45
6. 13 h 40
7. 2 h 35

D. Matin, après-midi, ou soir? Again using complete sentences, write out the correct time using the 12-hour clock and the expressions **du matin, de l'après-midi,** and **du soir.** *Note:* You will need to convert the times from the 24-hour clock notation.

>MODÈLE: 22 h 55 →
>Il est onze heures moins cinq du soir.

1. 14 h 05 _____

2. 3 h 35 _____

3. 16 h 15 _____

4. 21 h 30 _____

5. 6 h 30 _____

6. 4 h 45 _____

7. 20 h 15 _____

8. 13 h _____

9. 12 h 30 _____

E. La ponctualité. Look over Lucie's list of appointments, and listen to the times when she actually arrives at those appointments. Then say whether she is late (**en retard**), early (**en avance**), or on time (**à l'heure**).

9 h	*Aller au café avec Jérôme*
10 h	*Aller au bureau des étudiants*
12 h	*Aller au restaurant avec Aimée*
15 h	*Cours de sciences, à l'université*
16 h 15	*Donner une leçon de piano, chez moi*
17 h 30	*Dîner chez maman*
19 h	*Aller à la bibliothèque*

>MODÈLE: You hear: Lucie va au café à neuf heures du matin.
>You see: 9 h Aller au café avec Jérôme
>You say: Elle est à l'heure.
>You hear: Elle est à l'heure.

1. ...   2. ...   3. ...   4. ...   5. ...   6. ...

F. **Temps, fois, heure.** Fill in the blanks with the words **temps, fois,** or **heure,** according to the context. Include a definite article if necessary

1. Le week-end, j'ai _____ d'écouter mes CDs et de regarder la télé.

2. Combien de _____ allez-vous au cinéma chaque (*each*) mois?

3. À quelle _____ travaillent-ils lundi?

4. Laurence n'est jamais en retard. Elle est toujours à _____.

5. Pour la première (*first*) _____, Mathieu parle français avec un Québécois.

6. Quelle _____ est-il?

7. Annick travaille toujours. Parfois, elle n'a pas _____ de dîner!

G. **Mon emploi de temps.** (*My schedule.*) Describe your typical daily routine by explaining what you do at what times. Use the expressions **à... heure(s)** and **de... heure(s) à... heure(s).**

MODÈLE: À sept heures du matin, je vais au centre sportif avec mes amis. De neuf heures à dix heures vingt, j'ai mon cours de biologie...

_____

_____

_____

_____

_____

Visionnement 1

A. **Êtes-vous d'accord?** (*Do you agree?*) Based on what you've seen in the film, decide whether you agree with the following statements. Check **oui** if you agree, **non** if you do not agree, and **Je ne sais pas** if you don't know.

	OUI	NON	JE NE SAIS PAS.
1. Sonia vient à l'école pour voir (*see*) Rachid.	☐	☐	☐
2. Rachid et Sonia sont tristes.	☐	☐	☐
3. Rachid aime les parents de Sonia.	☐	☐	☐
4. Mado habite le même immeuble que Camille.	☐	☐	☐
5. Mado est une femme très calme.	☐	☐	☐
6. Rachid aime le livre sur les Cévennes.	☐	☐	☐
7. Le livre sur les Cévennes parle des légendes traditionnelles des Cévennes.	☐	☐	☐
8. Mado aime parler de sa famille.	☐	☐	☐

B. À propos des personnages

Step 1. Based on your sense of Mado's character, use numerals (1–6) to place the following sentences in chronological order. You will be guessing for now, but you will learn more about her in Step 2.

_____ Camille naît (*is born*).

_____ Le père de Mado disparaît (*disappears*).

_____ Mado naît.

_____ Mado refuse de parler du secret avec sa fille.

_____ Mado rencontre (*meets*) Jacques.

_____ Mado reprend le nom (*retakes the name*) Leclair.

Step 2. Now listen to a passage about Mado's life.

Madeleine Leclair préfère qu'on l'appelle Mado. Elle est intelligente et dynamique, mais elle a honte d'un secret dans son passé. Et elle a peur. Elle ne parle jamais de ce[1] secret avec sa fille, alors il y a une sorte de barrière entre les deux femmes. Mais la mère et la fille s'aiment beaucoup.[2]

Mado naît en 1939. Elle ne connaît pas[3] son père, qui quitte[4] Paris pendant la Deuxième Guerre mondiale[5] et qui disparaît[6] en 1943. Quand elle est enfant, tout le monde refuse de parler de cet[7] homme, et la petite Mado est traumatisée. Mais c'est une bonne étudiante, et après[8] ses études, elle travaille dans une librairie. Elle y[9] rencontre Jacques, un professeur d'université; ils tombent amoureux[10] et ils se marient. Camille naît et Mado en[11] est très contente. Mais Jacques s'intéresse peu[12] à la petite Camille et il reproche à Mado de passer son temps à s'occuper d'elle. Il veut avoir Mado pour lui seul.[13] Par conséquent, Camille n'a pas de véritable[14] père, parce qu'il commence à travailler beaucoup et n'a plus de temps pour sa petite famille. Longtemps Mado est patiente avec Jacques, mais finalement, c'est trop difficile, et après 17 ans de mariage, Mado demande le divorce. Elle reprend son nom de jeune fille,[15] Leclair, et sa fille Camille décide d'utiliser le nom Leclair aussi, pour sa profession. Aujourd'hui, Mado continue à travailler dans une librairie. La vie... et le secret... continuent.

[1]*this* [2]*s'aiment... love each other very much* [3]*ne... doesn't know* [4]*qui... who leaves* [5]*pendant... during the Second World War* [6]*disappears* [7]*this* [8]*after* [9]*there* [10]*tombent... fall in love* [11]*about it* [12]*s'intéresse... is hardly interested* [13]*alone* [14]*real* [15]*nom... maiden name*

Step 3. Now return to your answers in Step 1, and make any necessary changes based on what you learned in the passage.

C. Vous avez compris? Based on what you heard and read in Exercise B, answer the following questions by circling the correct response.

1. Jacques	Mado		5. le père de Camille	le père de Mado
2. Jacques	Camille		6. Mado	le père de Mado
3. le mari de Mado	le père de Mado		7. Jacques	Mado
4. Mado	Camille			

Prononciation et orthographe 🎧

Les voyelles /e/ et /ɛ/

La voyelle /e/

The sound /e/ is similar to the vowel sound in the English word *say*. In English, this vowel is accompanied by a slight /j/ sound.

say	/se^j/
may	/me^j/

This /j/ sound in the English words occurs as a result of movement of the tongue and jaw in an off-glide from the vowel. The French vowel is more tense and has no /j/ sound. To produce the French sound, keep your muscles tense and do not move your jaw and tongue once you say the vowel. Listen and repeat.

télé**vision**   gard**er**   finiss**ez**   **mes**   je ser**ai**   **et**

Notice the various spellings that can produce this vowel sound. It can be spelled as **é**, **-er** (infinitive ending), **-ez** (verbal ending), **-es** (in one-syllable words), **-ai** (verbal ending), and **et** (meaning *and*).

La voyelle /ɛ/

The sound /ɛ/ is similar to the vowel sound in the English word *get*. Listen and repeat.

p**è**re   b**ê**te   c**e**tte   je gard**ais**   il pens**ait**   ch**aî**ne

Notice the various spellings that can produce this vowel sound. It can be spelled as **è**, **ê**, **e** (in a closed syllable), **-ais** (verbal ending), **-ait** (verbal ending), or **aî**.

A. Quelle voyelle? Listen to each word and circle the sound you hear for the highlighted letters. Is it /e/ or /ɛ/?

1.	maison	/e/	/ɛ/	10.	lecteur	/e/	/ɛ/
2.	rez-de-chaussée	/e/	/ɛ/	11.	buffet	/e/	/ɛ/
3.	pièce	/e/	/ɛ/	12.	chaise	/e/	/ɛ/
4.	manger	/e/	/ɛ/	13.	cette	/e/	/ɛ/
5.	séjour	/e/	/ɛ/	14.	même	/e/	/ɛ/
6.	chaîne	/e/	/ɛ/	15.	quel	/e/	/ɛ/
7.	stéréo	/e/	/ɛ/	16.	il est	/e/	/ɛ/
8.	cuisinière	/e/	/ɛ/	17.	les	/e/	/ɛ/
9.	réfrigérateur	/e/	/ɛ/	18.	donnez	/e/	/ɛ/

B. La maison des Palier. You will hear several sentences about the home of the Palier family. Listen to each sentence, then repeat it carefully. Pay special attention to the highlighted letters, which represent the sounds /e/ and /ɛ/. You will hear and repeat each sentence twice.

1. L**es** Pali**er** habitent dans une m**ai**son à Rennes.
2. Il y a s**ept** pi**è**ces dans la m**ai**son: une cuisine, une salle de s**é**jour, une salle à mang**er et** quatre chambres.
3. Le b**é**b**é** a une chambre av**ec** quelques fenêtres. Je ne s**ais** pas combien.
4. Au premier **é**tage, Mme Palier a s**es** possessions préf**é**rées. C'**est** une collection de poup**ées** (*dolls*).

Structure 15

Le verbe *faire*; des expressions avec *faire*

Talking about everyday activities

A. Prononciation. The forms of the verb **faire** are all irregular. Listen and repeat, trying to pronounce each form as much like the speaker as possible.

je fais	nous faisons
tu fais	vous faites
il fait	ils font
elle fait	elles font
on fait	

Notice that the singular forms all sound the same: /fɛ/. You must pay attention to the pronoun, since it clarifies which person the speaker is talking about.

Notice also that the **ai** in **nous faisons** is pronounced a little like the *u* in the English word *burn*. This pronunciation is irregular for the **ai** spelling and, although not difficult to pronounce, must be memorized. Practice the following contrast with the speaker.

> je **fais**   tu **fais**   il **fait**   vous **faites**
> *but:* nous **faisons**

Now listen to each sentence, and repeat it aloud. Then circle the verb form you hear. Pay attention to both the pronoun and the verb. You will hear each sentence twice.

1. fais   fait   4. faisons   font

2. fais   fait   5. fait   faites

3. faisons   font   6. fais   fait

B. Qu'est-ce qu'on fait? Listen to the following sentences with the verb **faire**. Then restate each one using the given subject or subject pronoun.

> MODÈLE: You hear: Mes cousins font une promenade.
> You see: je
> You say: Je fais une promenade.
> You hear: Je fais une promenade.

1. on
2. tu
3. mes parents
4. nous
5. tout le monde
6. Luc et Colette
7. vous
8. je
9. Ronan

C. Faire. Create complete sentences using the following elements. Be careful to conjugate the verb **faire** correctly, making any necessary changes in agreement. Add any necessary articles, possessive adjectives, and so on, in order to form logical and grammatically correct sentences.

MODÈLE: Carine / ne… jamais / faire / lit →
Carine ne fait jamais son lit.

1. on / faire / joli / promenade / près / notre quartier

   _____

2. vous / faire / sport / à / le centre sportif

   _____

3. mon oncle et ma tante / faire / voyage / en Algérie

   _____

4. je / faire / fête / avec / amis

   _____

5. pourquoi / tu / faire / devoirs / à / minuit / ?

   _____

6. nous / ne… plus / faire / attention / à / les autres étudiants

   _____

D. Mots croisés. Complete the following crossword puzzle with the correct forms of the verb **faire** and with expressions using the verb **faire**.

HORIZONTALEMENT

1. Nous _____ la cuisine quand nous avons le temps.

4. J'ai envie de faire un _____ en Afrique un jour.

6. On va dîner chez Xavier. Il fait la _____ dans son nouvel (*new*) appartement.

7. La chambre de Michel va être propre (*neat*); il fait son _____.

8. C'est l'anniversaire de mon mari jeudi. On va faire la _____ ce (*this*) week-end.

11. Ton appartement est très sale (*dirty*)! Pourquoi ne fais-tu jamais le _____?

12. Pour la fête vendredi, Charles va faire le ménage et toi, tu vas faire les _____ au supermarché.

13. Je déteste faire la _____ à la banque ou au cinéma!

14. Mes amis ont envie de faire une petite _____ au parc.

VERTICALEMENT

1. Mes grands-parents ne _____ plus de promenades.

2. Pour faire du _____, nous allons au centre sportif.

3. Tu vas faire la _____ de Marie-Hélène. Elle est super sympa.

5. Les élèves ne font pas toujours _____ à leur instituteur.

7. Dans notre appartement, nous avons un four à micro-ondes dans la cuisine et une machine à laver (*washing machine*) pour faire la _____.

8. Pourquoi ne _____-tu pas attention?

9. Mes étudiants font leurs _____ chez eux ou à la bibliothèque.

10. Je déteste faire la cuisine. Mon mari prépare notre dîner et moi, je fais la _____ après le repas (*after the meal*).

E. **Qu'est-ce qu'on fait?** Create complete sentences about what the following people are doing based on the information given. Choose the correct expression to use with the verb **faire**.

MODÈLE: Tu vas au centre sportif. (sport, vaisselle) →
Tu fais du sport.

1. Nous cherchons des livres et des CDs à la librairie. (lit, shopping)

   _____

2. Je n'ai plus de vêtements propres (*clean clothes*) à porter! (vaisselle, lessive)

   _____

3. On est au supermarché. (courses, ménage)

   _____

4. C'est l'anniversaire de Thierry. (voyage, fête)

   _____

5. Vous n'êtes plus au lit. (queue, lit)

   _____

6. Les élèves sont devant l'école et ils attendent (*wait for*) la maîtresse. (queue, promenade)

   _____

7. Marc est à la bibliothèque. (sport, devoirs)

   _____

F. La belle vie! Imagine that you have a weekend with plenty of free time and money to do whatever you want. Which activities do you choose to do? Which activities do you not do? Who does your housework? What about your homework? Write several sentences and use at least five expressions with the verb **faire**.

_____

_____

_____

_____

_____

_____

Structure 16

L'adjectif interrogatif *quel* et l'adjectif démonstratif *ce*
Asking and identifying which person or thing

A. Quelle personne? Quelle chose? (*Which person? Which thing?*) You are in a crowded room at a party and cannot hear very well. Which interrogative adjective (**quel, quelle, quels, quelles**) should you use to ask for clarification? Write down your questions based on the statements you hear.

   MODÈLE: You hear: Cet appartement est magnifique!
             You write: Quel appartement?

1. _____

2. _____

3. _____

4. _____

5. _____

6. _____

7. _____

8. _____

9. _____

10. _____

11. _____

12. _____

B. **Un ami difficile.** Marc, who is critical of everyone and everything, has come to see your new apartment. Use the following elements to form complete sentences telling what he says. Pay particular attention to the use and form of demonstrative adjectives (**ce, cet, cette, ces**).

MODÈLE: ce / chambre / être / grand / mais / laid! →
Cette chambre est grande mais laide!

1. tu / ne pas avoir honte de / ce / salle de bain?

_____

2. pourquoi / ce / CDs / être / sur / ce / armoire?

_____

3. pourquoi / habiter / tu / dans / ce / quartier?

_____

4. je / ne pas aimer / ce / canapé

_____

5. est-ce que / tu / aimer / ce / petit / cuisine?

_____

6. ce / appartement / avoir besoin de / fenêtres / non?

_____

7. quand / est-ce que / tu / aller / faire / ce / lit?

_____

8. je / ne pas aller / regarder / ce / émissions / stupide

_____

C. **Cette personne-ci, cette personne-là.** Answer each of the following questions using the correct form of the demonstrative adjective (**ce, cet, cette, ces**) and either **-ci** (for the object in the foreground) or **-là** (for the object in the background), depending on what is pointed out in the drawing. Pay close attention to whether the noun is singular or plural.

MODÈLE: You see:

You hear: Quelle affiche aimez-vous?
You say: J'aime cette affiche-là.
You hear: J'aime cette affiche-là.

1.

2.

3.

4.

5.

D. Notre première fois à Paris. The Felbers are visiting Paris for the first time. They have many questions about what to do and where to go. Complete their questions and the answers they receive with the correct forms of **quel** or **ce**.

> MODÈLE: —Quel est le nom d'un bon restaurant près de notre hôtel?
> —Ce restaurant marocain est très bon. Il s'appelle Le Casablanca.

1. —Dans _____ quartier se trouve le musée du Louvre?

   —Dans _____ quartier-ci.

2. —On vient de regarder _____ bâtiment?

   —_____ bâtiment-là. Il s'appelle l'Orangerie.

3. —_____ heure est-il? Pourquoi est-ce que _____ librairie est fermée (*closed*)?

   —À _____ heure-ci, les Français ne travaillent pas. Ils se reposent (*they are resting*) en

   _____ moment.

4. —_____ sont les monuments préférés des Français?

   —Les Français admirent _____ monuments-ci.

5. —Dans _____ maison habite le président français?

   —Il habite dans _____ grande maison élégante.

6. —_____ homme parle anglais ici?

   —_____ homme-là, à côté de la porte, parle anglais.

E. Questions sur l'université. Imagine yourself in conversation with someone from another university. What questions with **quel** would you ask to find out the italicized information about student life on the other campus? Use a preposition before **quel** when necessary.

> MODÈLE: Nous avons besoin de parler *au prof de géologie.* →
> À quel prof avez-vous besoin de parler?

1. Tu vas aimer *le cours d'histoire chinoise.*

   _____

2. Nous visitons la faculté (*department*) des sciences *à midi.*

   _____

3. Les étudiants écoutent *des émissions de radio.*

   _____

4. La bibliothèque se trouve *dans la rue Fantine.*

   _____

5. Les cours favoris de Georges sont *les cours d'informatique et de géographie.*

   _____

6. *Le portable Macintosh* est sur le bureau.

   _____

F. L'appartement parfait? (*The perfect apartment?*) A landlord is trying to convince you to rent a furnished apartment in his apartment building. You are skeptical. Ask the following questions about the apartment in French. Use an interrogative pronoun and/or a demonstrative pronoun in each question.

Ask the landlord…

1. whether this apartment is in a good neighborhood.

   _____

2. which rooms need a rug.

   _____

3. whether this phone has an answering machine.

   _____

4. on which floor (**étage,** *m.*) one does the laundry.

   _____

5. which other students live in this building.

   _____

Regards sur la culture

Un appartement en région parisienne

Les invités (*Guests*) ne vont pas généralement dans certaines pièces d'un appartement français.

Où vont les invités? (***Where do guests go?***) Write the name of the room or piece of furniture that corresponds to each of the following letters and numbers. Then check **oui** or **non** to indicate whether a guest who is not a close family friend would go into that room or use that piece of furniture. Refer to **Regards sur la culture** on page 121 of the main text if necessary.

PIÈCES		OUI	NON
A. _____		☐	☐
B. _____		☐	☐
C. _____		☐	☐
D. _____		☐	☐
E. _____		☐	☐

MEUBLES		OUI	NON
1. _____		☐	☐
2. _____		☐	☐
3. _____		☐	☐
4. _____		☐	☐
5. _____		☐	☐

Structure 17

Le genre de certains substantifs et quelques pluriels spéciaux

Guessing genders and spellings

A. Masculin/féminin. Guess the gender of the noun given to you based on its ending. Then listen carefully to each sentence, and replace the noun described with the one given to you, making any necessary changes in agreement.

> MODÈLE: You see: émission
> You hear: Ce CD est intéressant.
> You say: Cette émission est intéressante.
> You hear: Cette émission est intéressante.

1. université
2. tableau
3. sentiment
4. nation
5. comédie

B. Faire le tri des noms. (*Sorting the nouns.*) Based on what you have learned about masculine and feminine noun endings, sort the following words into two columns according to gender. Write the definite article (**le, la,** or **l'**) with the noun. *Note*: Most of these words are cognates.

addition	fascisme	mission	tableau
capitalisme	fiction	nation	tragédie
château	intégration	nationalisme	université
comédie	journalisme	ressentiment	vanité
compliment	liberté	révision	visionnement
département	mélodie	sentiment	xénophobie

MASCULIN

FÉMININ

l'addition

_____   _____

_____   _____

_____   _____

_____   _____

_____   _____

_____   _____

_____   _____

_____   _____

_____   _____

_____   _____

_____   _____

C. **Chez l'antiquaire.** (*At the antique dealer's.*) The following sentences were overheard in an antique shop. Rewrite the sentences, putting the italicized nouns into the plural and making all other necessary changes so the sentence remains grammatically correct.

> MODÈLE: *Cet émail* (*enamel*) chinois est cher.
> Ces émaux chinois sont chers.

1. Voulez-vous acheter *un cadeau* (*gift*)?

   _____

2. *Ce fez* vient du Maroc.

   _____

3. Attention! *Le bras* (*arm*) de *ce fauteuil* est fragile.

   _____

4. *Le prix* (*price*) n'est pas exagéré.

   _____

5. *Ce cristal* de quartz est magnifique, non?

   _____

6. C'est *un tableau* des années vingt.

   _____

7. *Le fils* de l'artiste habite à Paris.

   _____

8. *Quel beau travail*!

   _____

9. Pardon, madame. Ce n'est pas *un objet d'art*. C'est *le sac à dos* de *mon neveu*!

   _____

D. **La famille Montaigne.** Charles Montaigne is describing the members of his large family, many of whom are alike. Create his descriptions from the elements provided. All sentences should express information about more than one family member.

> MODÈLE: mon fils / venir / souvent / chez moi →
> Mes fils viennent souvent chez moi.

1. mon grand-père / être / riche / intellectuel

   _____

2. mon neveu / aller / en Angleterre / en août

   _____

3. le nez (*nose*) Montaigne / être / grand / mais / joli

   _____

4. ma petite-fille / habiter / près de / Paris

_____

5. l'époux / de / ma sœur / travailler / dans le gouvernement

_____

6. le beau-père / de / mon fils / être / diplomate

_____

Visionnement 2

Après le visionnement. Thinking about what you've learned about French homes and remembering the scene in Camille's apartment, write **oui** or **non** to tell whether you think Rachid would visit the following rooms if he were to stay for dinner.

1. la salle de bains   _____
2. la salle de séjour   _____
3. la cuisine   _____
4. la chambre   _____
5. la salle à manger   _____

À écrire

Chez moi

You will be lodging a French student in your house or apartment during the academic year. You need to write him/her a letter describing how the room is furnished, the times of your comings and goings, and how you will divide up the household chores.

Step 1. Draw a simple layout of your house or apartment to show the location of the room you will be offering to the French student. Then draw and label the various pieces of furniture in the room so the student will know what to expect.

Step 2. Write out your own schedule, listing the times and names of your activities, classes, job, and so on.

Emploi du temps

_____ _____ _____

_____ _____ _____

_____ _____ _____

_____ _____ _____

Step 3. List the household chores you would be sharing with the French student.

_____ _____

_____ _____

_____ _____

Step 4. Now write your letter. Begin with **Cher/Chère** and the name of the student (invent the name). End with **Amicalement** (*Warmly*). Write your letter based on what you wrote in Steps 1–3.

> MODÈLE: Chère Diane,
> Bonjour des États-Unis! Je vais vous parler (*I'm going to tell you*) de votre chambre et d'autres détails importants chez moi. Dans votre chambre, il y a un lit à côté de la fenêtre, une chaîne stéréo sur la table en face de la porte et…

_____

_____

_____

_____

_____

_____

_____

_____

_____

_____

_____

_____

_____

_____

_____

Step 5. When you have finished your letter, read over your work and look for errors in spelling, punctuation, grammar (for example, agreement of subject and verb, agreement of noun and adjective), and vocabulary. If you find any errors, correct them.

Dossier culturel

A. Louer un appartement. (*Renting an apartment*.) Go to **www.mhhe.com/debuts** for links to sites where you can see apartments for rent. Find one you would like. Create and complete a chart such as the following to report information about it. Then, compare it to a similar apartment you could rent in your own town or city. Finally, decide which apartment you would prefer and explain why.

	APPARTEMENT FRANÇAIS	APPARTEMENT CHEZ MOI
superficie[a] (m^2)		
nombre de pièces		
loyer[b]		
zone géographique ou accès[c]		
autres informations		

[a]*area (in square meters)* [b]*rent (1,00 € ≈ $0.90 US ≈ $1.43 CA; $1.00 US ≈ 1,12 €; $1.00 CA ≈ 0,70 €)*
[c]*access to transportation*

B. Le quartier de chez Camille. Use printed resources or links at **www.mhhe.com/debuts** to learn more about various parks and sites in Camille's neighborhood. For each of the following attractions, report at least two pieces of information that are not mentioned in your textbook. You might tell about the history of the site, the site's uses thoughout the years, or something about the site in the present day. Provide illustrations when possible.

1. les jardins du Trocadéro
2. les jardins du Champ de Mars
3. l'École militaire
4. les Invalides

Chapitre **6**

Bonjour, grand-père!

Vocabulaire en contexte

L a mode

A. C'est vrai ou c'est faux? Answer each question based on the clothing image you see. If the identification is correct, say **Oui, c'est ça,** and repeat the statement. If it is incorrect, say **Non,** negate the statement, and then correct it.

MODÈLE: You see:

You hear: Ce sont des chaussettes, n'est-ce pas?
You say: Non, ce ne sont pas des chaussettes. Ce sont des chaussures.
You hear: Non, ce ne sont pas des chaussettes. Ce sont des chaussures.

1.

2.

3.

4.

5.

6.

7.

8.

9.

B. Un catalogue. Reorganize the following clothing vocabulary into appropriate lists for an online clothing catalogue. Be sure to use all the words. Some words can be used more than once.

Vocabulaire utile: bottes, bracelets, ceintures, chapeaux, chaussettes, chaussures de tennis, chemises, chemisiers, costumes/complets, cravates, écharpes, foulards, jeans, jupes, lunettes de soleil, maillots de bain, manteaux, pulls, robes, sandales, shorts, sous-vêtements (*underwear*), sweats, tailleurs, tee-shirts, vestes, vêtements de ski

MODE FEMME   MODE HOMME   MODE ENFANT

_____   _____   _____

_____   _____   _____

_____   _____   _____

_____   _____   _____

_____   _____   _____

VÊTEMENTS DE SPORT   CHAUSSURES   ACCESSOIRES

_____   _____   _____

_____   _____   _____

_____   _____   _____

_____   _____   _____

C. Qu'est-ce qu'on porte? (*What does one wear?*) Listen to the following questions about clothing and select which item(s) would most likely be worn.

MODÈLE: You hear: Quand on a très chaud, qu'est-ce qu'on porte?
You see: un tee-shirt / un manteau
You say: On porte un tee-shirt.
You hear: On porte un tee-shirt.

1. un tee-shirt / un costume et une cravate
2. une ceinture / une jupe
3. un short / un tailleur
4. un foulard / une cravate
5. des lunettes de soleil / une cravate
6. une veste / une robe
7. des chaussures / des lunettes de soleil
8. un maillot de bain / une veste
9. des vêtements élégants / un jean et un tee-shirt

D. Dans ma valise. Which articles of clothing are you likely to place in your suitcase for a weekend in the following places? What other items will you need? What items won't you need? Which item do you never forget to pack? How many of each item are you likely to have? Explain briefly an activity you may do that will require the specific clothes you have packed.

MODÈLE: un week-end chez mon ami (dans sa chambre universitaire) →
Dans ma valise, il y a un jean, deux pull-overs, des tennis. Il y a aussi des livres et je n'oublie jamais mon frisbee. Je n'ai pas besoin de foulard, de tailleur ou de lunettes de soleil. Nous allons aller au cinéma et au centre sportif.

1. un week-end dans les Alpes au mois de janvier

_____

_____

_____

_____

_____

_____

2. un week-end très calme dans un centre de thalasso (*spa*) en Californie

_____

_____

_____

_____

_____

_____

3. un week-end élégant à New York

_____

_____

_____

_____

_____

_____

*L*es couleurs

A. **De quelle couleur?** Create a new sentence by replacing the subject in the sentence you hear with the one you see. Make any necessary changes in agreement.

MODÈLE: You hear: Ce tailleur est bleu.
You see: chemise
You write: Cette chemise est bleue.

1. chaussettes _____

2. ceinture _____

3. robe _____

4. tee-shirt _____

5. chaussures _____

6. foulard _____

7. lunettes _____

8. vêtements de tennis _____

B. Les couleurs de tous les jours. Fill in the blanks with the most logical color, making any necessary agreements in gender and/or number. When a color is used as a noun, as in items 7–10, it is masculine.

1. Pour un mariage traditionnel aux États-Unis, la femme porte une robe _____ et le mari porte un complet _____.

2. Paul est très, très timide. Il devient très _____ quand on parle avec lui.

3. Les drapeaux (*flags*) américains et français sont _____, _____ et _____.

4. Les étudiants font souvent leurs devoirs avec des stylos _____ ou _____, mais les profs font des corrections avec des stylos _____.

5. Le ciel (*sky*) est _____ et le soleil (*sun*) est _____.

6. J'aime le café _____, sans crème.

7. J'adore les films en noir et _____ des années 1930 à 1940.

8. Les couleurs primaires sont le rouge, le bleu et le _____.

9. Les _____ sont un parti politique qui désire la protection de l'environnement.

10. Selon la tradition, les petites filles (*girls*) adorent le _____ et les garçons adorent le bleu-clair. Mais ce n'est pas toujours vrai!

$\mathcal{D}$ans un grand magasin

A. Comment Ahmed paie-t-il? Ahmed has a very rigid system of payment for the purchases he makes. Describe how Ahmed will pay for each of the items he will buy based on how much it costs.

0–19 euros	→	espèces
20–49 euros	→	chèque
50–99 euros	→	carte bancaire
100+ euros	→	carte de crédit

MODÈLE: You hear: Ce pull-over coûte 50 euros.
You say: Ahmed va payer par carte bancaire.
You hear: Ahmed va payer par carte bancaire.

1. ...   2. ...   3. ...   4. ...   5. ...   6. ...   7. ...

B. Au magasin. Create complete sentences about a department store, using elements from the following columns. Be sure to use each element at least once.

l'argent	ne pas accepter	avec cette jolie robe
la caisse	aller bien	au rez-de-chaussée
les chemises d'hommes	être	en espèces
cette cliente	payer	des cartes de crédit
ce foulard	travailler	dans ce grand magasin
les jupes	se trouver	dans la caisse
on		dans le rayon mode femmes
ces vendeurs et vendeuses		dans le rayon mode hommes
VISA et MasterCard		les chèques

MODÈLE: L'argent est dans la caisse.

1. _____

2. _____

3. _____

4. _____

5. _____

6. _____

7. _____

8. _____

9. _____

Visionnement 1

A. Dans le film. Based on what you've seen in the film, write the name of the character (Camille, Rachid, Bruno, or Martine) who is best described by each of the following statements.

1. Cette personne panique parce que Camille n'est pas là. _____

2. Cette personne veut (*wants*) calmer Bruno avant (*before*) l'émission. _____

3. Cette personne explique que (*explains that*) la mode est chère. _____

4. Cette personne trouve une photo dans un livre. _____

5. Cette personne ne veut pas parler de sa famille. _____

B. À propos des personnages

Step 1. Based on your sense of Camille's character, complete each sentence by circling what you think is the most appropriate choice.

1. Camille a beaucoup _____
   a. de problèmes
   b. d'énergie
   c. d'enfants

2. _____ pensent que Camille est opportuniste.
   a. Tous (*All*) ses collègues
   b. Les gens de sa famille
   c. Certains employés de Canal 7

3. Camille va avoir du succès comme (*as*) _____
   a. professeur
   b. actrice
   c. journaliste

4. Camille est _____ au travail.
   a. aggressive
   b. passive
   c. calme

5. Avant de travailler à Canal 7, Camille travaille _____
   a. à la télévision
   b. à la radio
   c. dans une école

6. Dans sa vie personnelle, Camille est _____
   a. aggressive
   b. réservée
   c. dynamique

7. _____ de Mado est un problème pour Camille.
   a. Le silence
   b. La passion
   c. L'amour

Step 2. Now listen to a passage about Camille's life.

Camille Leclair est une jeune[1] femme dynamique et active. À Canal 7, tout le monde trouve qu'elle est très professionnelle, et de nombreuses personnes la trouvent[2] sympathique. D'autres la trouvent un peu[3] opportuniste. En tout cas,[4] sa carrière de journaliste avance bien.

Camille a une stratégie pour sa vie[5] professionnelle; c'est l'attaque. C'est une collègue de travail agréable, mais elle a vraiment[6] envie d'être la meilleure.[7] Lors de[8] ses études de journalisme et de son premier travail pour un journal-radio des étudiants, elle travaille énormément.[9] À Radio Nova (une station professionnelle importante), elle a beaucoup de[10] succès. Elle a beaucoup de talent et elle présente clairement[11] l'information au public. Il n'est donc pas étonnant[12] que quand Canal 7 lance «Bonjour!», Bruno recommande Camille à Martine. Canal 7 est très content de son succès, et Camille trouve beaucoup de satisfaction dans son travail de journaliste à la télévision.

Mais du point de vue personnel, c'est un peu différent. Camille est assez[13] réservée, presque[14] timide. Elle ne parle pas beaucoup d'elle-même[15] et elle ne parle pas de sa famille. Elle est souvent frustrée[16] par le silence de sa mère parce que Mado ne parle jamais du grand-père de Camille. Camille pense tout le temps[17] au secret de sa famille. Un jour, elle regarde la photo de sa grand-mère et elle voit à l'arrière-plan,[18] sur la cheminée, la photo de mariage de Louise et d'Antoine. Avec son ordinateur, elle agrandit[19] l'image du jeune homme. Super! Maintenant, elle a une photo de son grand-père et elle espère apprendre quelque chose.[20]

[1]*young* [2]*la... find her* [3]*un... a little* [4]*En... In any case* [5]*life* [6]*really* [7]*la... the best* [8]*Lors... At the time of* [9]*a lot* [10]*beaucoup... much* [11]*clearly* [12]*Il... So it's not suprising* [13]*rather* [14]*almost* [15]*herself* [16]*frustrated* [17]*tout... all the time* [18]*voit... sees in the background* [19]*enlarges* [20]*espère... hopes to learn something*

Step 3. Now return to your answers in Step 1, and make any necessary changes based on what you learned in the passage.

C. Vous avez compris? Based on what you heard and read in the passage in Exercise B, decide whether each statement you hear applies to Camille's professional life or to her private life. Circle the appropriate response.

MODÈLE: You hear: Camille fait des études de journalisme.
You choose: la vie professionnelle

1. la vie professionnelle   la vie privée   4. la vie professionnelle   la vie privée

2. la vie professionnelle   la vie privée   5. la vie professionnelle   la vie privée

3. la vie professionnelle   la vie privée

*P*rononciation et orthographe

*L*es voyelles /ø/ et /œ/

La voyelle /ø/

The vowel sound /ø/ has no equivalent in English. To pronounce it properly, round your lips as if you were going to say /o/, but instead say /e/. The sound produced will be /ø/. This sound occurs almost exclusively in open syllables (where the vowel sound is the last sound); but a few exceptions occur in closed syllables (where the syllable ends with a consonant sound). Listen and repeat.

	feu /fø/	il peut /pø/	
but also:	feutre /føtʀə/	neutre /nøtʀə/	vendeuse /vãndøz/

Notice that the sound is spelled as **eu**. As you will see, however, the **eu** combination can also be pronounced as /œ/.

La voyelle /œ/

There is also no English equivalent for the vowel sound /œ/. To pronounce it properly, round your lips and say /ɛ/. The sound produced will be /œ/. Listen and repeat.

ils peuvent   ils veulent   beurre   cœur   sœur

Notice that this sound can be spelled as **eu** or as **œu**. It is produced in closed syllables.

A. Quelle voyelle? Listen to each of the following words and circle the sound you hear for the highlighted letters. Is it /ø/ or /œ/?

1.	taill**eu**r	/ø/	/œ/		6.	m**eu**ble	/ø/	/œ/
2.	bl**eu**	/ø/	/œ/		7.	qu**eue**	/ø/	/œ/
3.	vend**eu**r	/ø/	/œ/		8.	vend**eu**se	/ø/	/œ/
4.	h**eu**re	/ø/	/œ/		9.	banli**eue**	/ø/	/œ/
5.	v**eu**f	/ø/	/œ/		10.	ordinat**eu**r	/ø/	/œ/

B. Répétez. Listen and repeat the following pairs of words after the speaker. The first word contains the /ø/ sound, the second the /œ/ sound.

1.	vendeuse / vendeur	3.	jeu / jeune	5.	veut / veulent
2.	peu / peuvent	4.	feu / fleur		

$\mathcal{S}$*tructure 18*

$\mathcal{L}$**es verbes** *pouvoir* **et** *vouloir*

Expressing ability and what you want

A. Prononciation. The forms of the verbs **pouvoir** and **vouloir** are irregular, but they are similar to each other. Listen and repeat the conjugation of **pouvoir**, trying to pronounce each form as much like the speaker as possible.

je peux	nous pouvons
tu peux	vous pouvez
il peut	ils peuvent
elle peut	elles peuvent
on peut	

Now listen and repeat the conjugation of **vouloir**. Notice how the singular forms rhyme with the singular forms of **pouvoir**.

je veux	nous voulons
tu veux	vous voulez
il veut	ils veulent
elle veut	elles veulent
on veut	

For each verb, notice how the singular forms all sound the same.

For **pouvoir**, that sound is /pø/. Repeat.

    je peux   il peut

For **vouloir** it is /vø/. Repeat.

    tu veux   elle veut

You must pay attention to the pronoun, since it clarifies which person the speaker is talking about.
    Notice too that you can differentiate between the singular **il/elle** form and the plural **ils/elles** form by listening for the final sound in the verb. The singular form ends with a vowel sound; the plural has a final consonant sound. Listen and repeat.

il peut	ils peuvent
elle veut	elles veulent

What are the final consonant sounds in the plural forms? In **ils peuvent** and **elles peuvent**, the final consonant sound is /v/. In **ils veulent** and **elles veulent**, it is /l/.
    Finally, notice that the vowel sound in the **nous** and **vous** forms differs completely from the vowel sounds in the other forms. Instead of /ø/ or /œ/, it is /u/. Listen and repeat.

je peux	tu peux	il peut	elles peuvent
but: nous pouvons	vous pouvez		

je veux	tu veux	elle veut	ils veulent
but: nous voulons	vous voulez		

Now listen to each sentence and repeat it aloud. Then circle the verb form you hear. Pay attention to both the pronoun and the verb. You will hear each sentence twice.

1.	pouvez	voulez	6.	pouvons	voulons
2.	peut	peux	7.	veut	veux
3.	veut	veux	8.	peut	peuvent
4.	pouvez	voulez	9.	veux	veut
5.	veulent	veut	10.	peut	peuvent

B. L'agence de voyages. On which dates do the following people want to take a trip?

MODÈLE: You see: le 23 mai
                 You hear: Tu vas en France.
                 You say: Tu veux voyager le vingt-trois mai.
                 You hear: Tu veux voyager le vingt-trois mai.

1.	le 1er novembre	3.	le 4 juin	5.	jeudi	7.	cette semaine
2.	demain	4.	le 11 mars	6.	le 20 août		

C. Vouloir, c'est pouvoir? Listen to what the following people *want* to do. Then say that they *cannot* do what they want.

> MODÈLE: You hear: Les vendeurs veulent accepter cette carte bancaire.
> You say: Mais ils ne peuvent pas accepter cette carte bancaire.
> You hear: Mais ils ne peuvent pas accepter cette carte bancaire.

1. ...   2. ...   3. ...   4. ...   5. ...   6. ...   7. ...   8. ...

D. Pourquoi va-t-on… ? Create sentences describing why these people are going or not going to certain places. Finish each sentence with **vouloir** or **ne pas vouloir** and one of the phrases in the vocabulary list. Use each phrase only once.

Vocabulaire utile: de l'argent, donner leurs devoirs au prof, une écharpe violette, faire du tennis, faire la vaisselle, un maillot de bain, payer, regarder un film, visiter la Grande Muraille (*Great Wall*)

> MODÈLE: Jean-Paul va au supermarché parce qu'il veut faire les courses.

1. Je vais à la banque parce que je _____

2. Nous allons en Chine parce que nous _____

3. Les enfants ne vont pas dans la cuisine parce qu'ils _____

4. Ta cousine va au grand magasin parce qu'elle _____

5. Les étudiants vont au cours de sciences parce qu'ils _____

6. Tu vas au cinéma parce que tu _____

7. Vous allez au centre sportif parce que vous _____

8. Le client va à la caisse parce qu'il _____

E. Le Chemin du retour. Based on what you have seen in the film, form logical, grammatically correct sentences using the following elements.

> MODÈLE: Yasmine / ne pas vouloir / aller à l'école →
> Yasmine ne veut pas aller à l'école.

1. Bruno / ne pas vouloir / porter un béret

2. Bruno et Camille / vouloir / parler du pain français avec M. Liégeois

3. Bruno et Hélène / vouloir / aller au café

   _____

4. Sonia Bouhazid / vouloir / habiter à Marseille

   _____

5. Rachid / pouvoir / manger du porc / mais / il / ne pas vouloir

   _____

6. Mado / ne pas pouvoir / faire / le code de son appartement

   _____

7. Mado / demander (_to ask_) / à Rachid / s'il (_if he_) / vouloir / dîner / avec elles

   _____

8. Rachid / regretter / mais / il / ne pas pouvoir / dîner / avec elles / ce soir

   _____

F. **Si on veut, on peut.** Complete the following sentences using the correct forms of either **vouloir** or **pouvoir**. Remember to use the polite form, **je voudrais**, where appropriate.

1. —Que _____ dire le mot (_word_) «copain»?

   —Un copain est un camarade.

2. Nous _____ bien faire la vaisselle, maman, mais nous ne

   _____ pas ce soir—nous avons besoin de faire nos devoirs.

3. Est-ce que tu _____ le pull jaune ou le pull violet?

4. Les élèves ne _____ pas aller au cinéma sans la maîtresse; ils sont trop

   jeunes (_too young_)!

5. —Je n'ai pas la permission de sortir demain.

   —Ah bon? Tu ne _____ même (_even_) pas venir chez moi?

6. Ces deux vendeuses ne _____ plus travailler dans le rayon mode hommes;

   elles préfèrent le rayon mode femmes.

7. Pardon, monsieur. Je _____ aller à la rue Saint Jacques. Est-ce que vous

   _____ me dire (_tell me_) où elle se trouve?

G. **Janine ne fait pas le ménage.** You live with Janine, who is a very messy person. Using complete sentences, write what you would say in the following circumstances.

1. Politely tell Janine that you would like to live in a cleaner (**plus propre**) apartment. _____

   _____

2. Explain that your friends no longer want to come to your home. _____

   _____

3. Tell her you can never find your laundry. _____

_____

4. Tell her you are willing to cook if she is willing to make her bed. _____

_____

5. Ask Janine if she can do the dishes tonight. _____

_____

Structure 19

Les verbes avec changement d'orthographe

Talking about everyday activities

A. Prononciation. For each model verb in this section, repeat the conjugation after the speaker.

Because **c** before **a**, **o**, and **u** has a *hard c* or /k/ sound, verbs like **commencer** add a cedilla to the second **c** in the **nous** form to reflect the *soft c* or /s/ sound in the spoken verb. Listen and repeat, paying attention to the difference between the sound of the **c** at the beginning (before an **o**) and the **c** or **ç** before the verb ending.

je commence	nous commençons
tu commences	vous commencez
il commence	ils commencent
elle commence	elles commencent
on commence	

Similarly, because **g** before **a**, **o**, and **u** has a *hard g* or /g/ sound, verbs like **manger** add an **e** after the **g** in the **nous** form to reflect the *soft g* or /ʒ/ sound in the spoken verb. Listen and repeat.

je mange	nous mangeons
tu manges	vous mangez
il mange	ils mangent
elle mange	elles mangent
on mange	

In the other verbs presented in this section, the spelling changes occur in all forms in which the ending itself is silent. In these forms, the spelling change reflects a modification to the sound of the *final vowel in the verb stem*. Listen to each conjugation and repeat, paying attention to the sound of the verb stem's final vowel in each form.

je préfère	je paie	j'achète
tu préfères	tu paies	tu achètes
il préfère	il paie	il achète
elle préfère	elle paie	elle achète
on préfère	on paie	on achète
nous préférons	nous payons	nous achetons
vous préférez	vous payez	vous achetez
ils préfèrent	ils paient	ils achètent
elles préfèrent	elles paient	elles achètent

With **appeler**, the vowel itself is not spelled differently, but doubling the l changes the sound of the **e** in the verb stem. Listen and repeat.

j'appelle	nous appelons
tu appelles	vous appelez
il appelle	ils appellent
elle appelle	elles appellent
on appelle	

Finally, notice that since the endings of the **il/elle** and **ils/elles** forms are silent, the verb forms sound the same. You can tell the difference between the singular and plural forms only by paying attention to context or by hearing the linking of the final **-s** of the plural pronoun to the first part of a verb that begins with a vowel. Listen and repeat.

il appelle	ils‿/z/appellent
elle envoie	elles‿/z/envoient

Now listen to each sentence and repeat it aloud. Then circle the verb form you hear. Pay attention to both the pronoun and the verb. If the verb could be either form, circle **tous les deux** (*both*). You will hear each sentence twice.

1.	achètent	achète	tous les deux
2.	appelle	appelez	tous les deux
3.	changent	change	tous les deux
4.	commençons	commencent	tous les deux
5.	envoies	envoie	tous les deux
6.	espèrent	espère	tous les deux
7.	essaie	essaient	tous les deux
8.	partageons	partagez	tous les deux

B. Préférer, etc. Listen to the following sentences. Then modify each one using the new subject pronoun provided. Be careful to make the necessary adjustments in pronunciation.

> MODÈLE: You hear: Nous préférons porter un chapeau.
> You see: ils
> You say: Ils préfèrent porter un chapeau.
> You hear: Ils préfèrent porter un chapeau.

1.	vous	5.	vous	8.	on
2.	tu	6.	tout le monde	9.	nous
3.	je	7.	nous	10.	je
4.	elle				

C. Attention à l'orthographe. Fill in the blank with the correct spelling of the verb you hear. You will hear each sentence twice.

> MODÈLE: You see: Nous _____ un taxi.
> You hear: Nous partageons un taxi.
> You write: partageons

1. Tu _____ par carte de crédit.

2. Ils _____ la question.

3. Elle _____ devenir professeur.

4. On _____ vingt personnes.

5. Nous _____ les enfants.

6. Nous _____ à 10 h.

7. Je m'_____ Christiane.

8. Ils _____ un chapeau.

9. Tu _____ une carte postale.

10. Vous _____ le foulard gris?

D. Au grand magasin. Fill in the blank with the correct form of the stem-change verb in parentheses.

1. Au grand magasin, nous _____ (commencer) au rayon mode femmes.

   Nous _____ (acheter) un manteau noir.

2. Mes amis _____ (préférer) le grand magasin Monoprix. Ils

   _____ (appeler) pour demander l'heure d'ouverture (*opening*).

3. Vous _____ (acheter) ce pull jaune? Et comment voulez-vous

   _____ (payer)?

4. J'_____ (essayer) toujours de payer en espèces mais mon mari

   _____ (employer) souvent sa carte bancaire.

5. Nous _____ (manger) souvent au restaurant du grand magasin. Nous

   _____ (partager) un sandwich ou une pizza.

6. Cette compagnie _____ (lancer) une nouvelle (*new*) série de vêtements

   d'hommes.

7. Ces magasins _____ (envoyer) des catalogues à leurs clients.

8. Ce vendeur _____ (encourager) ses clients à payer par carte de crédit.

9. Tu _____ (appeler) une vendeuse à Prisunic.

10. Tu _____ (espérer) trouver de jolies écharpes dans cette boutique?

E. La famille moderne. Fill in each blank with the correct form of the most appropriate verb. Use each verb only once. *Note*: One verb will not be used.

Vocabulaire utile: appeler, employer, encourager, envoyer, espérer, essayer, lancer, manger, partager, payer, préférer, voyager

1. Je ne suis pas mariée. Je _____ vivre (*to live*) en union libre avec mon

   copain, Xavier. Nous _____ les responsabilités du ménage et nous

   _____ d'être toujours gentils et patients.

2. Mon beau-frère _____ souvent en Europe et en Afrique avec sa femme.

3. Les adolescents aujourd'hui ont souvent des cartes de crédit. C'est vrai! Ils _____ tout (*everything*) par Visa!

4. Ma sœur n'aime pas faire la cuisine. Elle _____ souvent son four à micro-ondes.

5. Mme et M. Lévêque _____ leurs enfants dans une école très chère en Angleterre.

6. Le week-end, ma femme et moi, nous faisons la grasse matinée (*sleep in*) et nous _____ des croissants au lit.

7. J'_____ ma grand-mère souvent au téléphone parce qu'elle est veuve et habite loin de chez moi.

8. Dans cette agence, nous _____ l'adoption pour des couples qui (*who*) _____ devenir parents.

F. **Mme Leclerc, la vendeuse.** Ask Mme Leclerc the following questions about her job at a big department store. Use the formal **vous** form with her. Give possible answers to her questions as well.

1. Ask at what time she begins work on Tuesdays.

   VOUS: _____

   MME LECLERC: _____

2. Ask if she hopes to find another job (**travail**).

   VOUS: _____

   MME LECLERC: _____

3. Ask if her customers pay in cash or with a credit card.

   VOUS: _____

   MME LECLERC: _____

4. Ask where she and the other salespeople eat.

   VOUS: _____

   MME LECLERC: _____

5. Ask if she buys her clothes in this store.

   VOUS: _____

   MME LECLERC: _____

Regards sur la culture

La mode

La mode est très importante pour les Français, même les enfants.

Entre gourmandise et coquetterie

I la chemise à partir de 16,62 €

J la robe à partir de 30,34 € brodée

K la robe à partir de 34,30 € smocks brodés main

H Le pantalon velours ARTHUR ET FELICIE.		I La chemise à carreaux ARTHUR ET FELICIE		J La robe chasuble ARTHUR ET FELICIE		K La robe à smocks brodés ARTHUR ET FELICIE	
Taupe 498.2245	Marine 498.2252	8 statures en cm. Fond écru 503.4731		8 statures en cm. Bleu 498.2203		8 statures en cm. Taupe 504.9695	
8 statures en cm		86	16,62 €	86	30,34 €	86	34,30 €
86	22,71 €	94, 102	18,29 €	94, 102	32,78 €	94, 102	36,59 €
94, 102	24,39 €	108, 114	19,82 €	108, 114	35,06 €	108, 114	38,87 €
108, 114	25,92 €	126	21,34 €	126	37,35 €	126	41,16 €
126	27,44 €	138	22,87 €	138	39,64 €	138	43,45 €
138	28,97 €	150	24,39 €	150	41,92 €	150	45,73 €
150	30,49 €						

Les vêtements d'enfants sont adorables, n'est-ce pas? Mais pensez-vous que ces vêtements coûtent trop cher (*cost too much*)? Et vos vêtements préférés, coûtent-ils cher?

Vêtements pour les enfants. Mme Rey is ordering clothes for her family. Paul is 94 cm tall, Daniel is 150 cm, Annick is 86 cm, and Aline is 126 cm. Look at the catalogue listings below and decide how much Mme Rey must pay for the following clothing items for each child. How much must she pay in all?

H Le pantalon velours		**I La chemise à carreaux**		**J La robe chasuble**		**K La robe à smocks brodés**	
86 cm	**22,71 €**	86 cm	**16,62 €**	86 cm	**30,34 €**	86 cm	**34,30 €**
94, 102 cm	**24,39 €**	94, 102 cm	**18,29 €**	94, 102 cm	**32,78 €**	94, 102 cm	**36,59 €**
108, 114 cm	**25,92 €**	108, 114 cm	**19,82 €**	108, 114 cm	**35,06 €**	108, 114 cm	**38,87 €**
126 cm	**27,44 €**	126 cm	**21,34 €**	126 cm	**37,35 €**	126 cm	**41,16 €**
138 cm	**28,97 €**	138 cm	**22,87 €**	138 cm	**39,64 €**	138 cm	**43,45 €**
150 cm	**30,49 €**	150 cm	**24,39 €**	150 cm	**41,98 €**	150cm	**45,73 €**

Paul: le pantalon _____ €

la chemise _____ €   Total pour Paul _____ €

Daniel: le pantalon _____ €

la chemise _____ €   Total pour Daniel _____ €

Annick: la robe chasuble _____ €   Total pour Annick _____ €

Aline: la robe à smocks brodés _____ €   Total pour Aline _____ €

Total à payer au magasin Vertbaudet _____ €

Structure 20

Les pronoms interrogatifs

Asking questions

A. **Personne ou chose?** Listen to each question. Then circle the most logical response. You will hear each question twice.

MODÈLE: You hear: Qu'est-ce que vous employez pour préparer votre dîner?
You see: mon ami   mon four à micro-ondes
You circle: mon ami   (mon four à micro-ondes)

1. aux profs   au tableau

2. Mme Simon   l'écharpe

3. un livre   elle chante (sings)

4. cet homme   cet appartement

5. avec son fils   avec un pull-over jaune

6. les clients   les chèques

7. du journaliste   de la photo

B. *Qui, que* **ou** *quoi?* Read each question, then listen to the answer. You will hear each answer twice. Write the missing interrogative pronoun (and a preposition if necessary) into the question.

> MODÈLE: You see: _____ est-ce que tu fais?
> You hear: Je parle avec Chantal.
> You write: *Qui* est-ce que tu fais?

1. _____ est-ce qu'ils cherchent, ces clients?

2. _____ travaille à la caisse?

3. _____ est-ce que vous encouragez?

4. _____ est-ce qu'elle a peur?

5. _____ visitons-nous?

6. _____ n'est pas là?

7. _____ veut dire «pays» en anglais?

8. _____ est-ce que tu aimes?

C. **Un dîner entre amis.** Using an interrogative pronoun (and a preposition if necessary), ask the question that is answered by the word or phrase in parentheses.

> MODÈLE: *De quoi* avons-nous besoin? (d'un grand appartement)

1. _____ est-ce que nous allons dîner? (chez moi)

2. _____ va faire la cuisine? (Catherine et Jean-Claude)

3. _____ est-ce que nous allons manger? (une pizza)

4. _____ allons-nous téléphoner? (à tout le monde)

5. _____ est-ce l'anniversaire? (de Fabrice)

6. _____ achetons-nous à (*for*) Fabrice? (un pull-over noir)

7. _____ est-ce que vous venez de faire? (les courses)

8. _____ avez-vous peur? (d'être en retard)

9. _____ va faire la fête? (nous)

10. _____ il y a dans le frigo? (du champagne)

D. **Le week-end de Mme Arène.** Mme Arène is describing her weekend to you. Ask her to repeat what she says by posing a question that will prompt her to repeat the italicized portion of her statement. If necessary, begin your question with a preposition.

> MODÈLE: Je travaille dans le jardin *avec mon mari.* →
> Avec qui travaillez-vous? (Avec qui est-ce que vous travaillez?)

1. Je regarde *mon émission préférée* à la télévision.

_____

2. Je téléphone *à mes petits-enfants.*

_____

3. *Ils* sont adorables, *mes petits-enfants.*

_____

4. Nous parlons *de notre voyage en octobre.*

_____

5. *Mon mari* fait la cuisine.

_____

6. Je porte *un jean et un sweat.*

_____

7. Je préfère *être chez moi.*

_____

8. Je fais la connaissance *de notre voisine (neighbor).*

_____

E. **Questions sur le film.** Your classmate has several questions about the characters in the film *Le Chemin du retour*. Write his questions in French using the appropriate interrogative pronoun (and preposition if necessary). Then answer the questions.

> MODÈLE: He wants to know what Yasmine is afraid of. →
>> SA QUESTION: De quoi Yasmine a-t-elle peur? (De quoi est-ce que Yasmine a peur?)
>> VOTRE RÉPONSE: Elle a peur de sa nouvelle école. (Elle a peur de ne pas voir [*of not seeing*] sa maman.)

1. He doesn't remember who Mado is.

   SA QUESTION: _____

   VOTRE RÉPONSE: _____

2. He wants to know what Rachid eats in Canal 7's restaurant.

   SA QUESTION: _____

   VOTRE RÉPONSE: _____

3. He wants to know what Sonia wants.

   SA QUESTION: _____

   VOTRE RÉPONSE: _____

4. He doesn't remember with whom Yasmine goes home after school.

   SA QUESTION: _____

   VOTRE RÉPONSE: _____

5. He wants to know whom you like in the film.

   SA QUESTION: _____

   VOTRE RÉPONSE: _____

Visionnement 2

Après le visionnement. Think about the cultural information in this chapter and in Episode 6, and study the photo. Imagine the questions that would elicit the following responses. Pay special attention to the words in italics to help you formulate your questions.

1. _____

   Bruno porte un costume *parce qu'il travaille devant les caméras.*

2. _____

   Camille porte *une robe spéciale* aujourd'hui pour l'émission.

3. _____

   Rachid ne porte pas de costume.

4. _____

   Il y a *un chapeau* sur le plateau pendant (*during*) l'émission sur la mode.

5. _____

   Camille et Bruno parlent *de la mode* pendant cette émission.

À écrire

La mode et la vie

Think about the role that clothing and fashion play in your life.

Step 1. Plan the vocabulary you will need by listing words in each category.

Les vêtements que je porte souvent: _____

_____

Les vêtements que je porte rarement: _____

_____

Vêtements de sport: _____

_____

Vêtements habillés (*dressy*): _____

_____

Les couleurs que j'aime porter: _____

_____

Les couleurs que je n'aime pas porter: _____

_____

Adjectifs pour décrire la mode: original, conformiste, _____

_____

Step 2. Explore the topic further by reading the following questions, adding others if you wish. Then place numerals before each item to represent the order in which you plan to answer the questions. You may take notes on your planned answers.

_____ Est-ce que j'achète souvent des vêtements? de temps en temps (*from time to time*)? rarement?

_____ Quels vêtements est-ce que j'aime porter?

_____ Quels vêtements est-ce que je n'aime pas porter?

_____ Est-ce que mon choix (*choice*) de vêtement reflète mon état d'esprit (*mood*)? Par exemple, est-ce que je porte des couleurs vives quand je suis heureux/euse? des couleurs sombres (*dark*) quand je suis triste?

_____ Est-ce que je préfère la mode originale (où même qui choque [*shocking*]) ou la mode plus conventionnelle?

_____ _____

_____ _____

Step 3. Now write your paragraph using the vocabulary words you identified. Organize your thoughts based on your numbering of the questions you selected.

> MODÈLE: J'achète des vêtements rarement, parce que pour moi, la mode n'est pas très importante. D'habitude (*Usually*), je porte un jean et un tee-shirt...

———————————————————————————————————————

———————————————————————————————————————

———————————————————————————————————————

———————————————————————————————————————

———————————————————————————————————————

Step 4. When you have finished your paragraph, read over your work and look for errors in spelling, punctuation, grammar (for example, agreement of subject and verb, agreement of noun and adjective), and vocabulary. If you find any errors, correct them.

Dossier culturel

A. La mode parisienne. Using printed resources or links at **www.mhhe.com/debuts**, find the names of three major French designers and look at the current season collection for one of them. Write a short review, identifying the designer and the season and commenting on the collection. Tell whether, generally speaking, you think there are differences between European fashion and North American fashion. Justify your answer. How do you think the two influence one another?

B. Les Cévennes. Using printed resources or links at **www.mhhe.com/debuts**, find a map of France showing the area called **Les Cévennes**. Also find information about the region. Print out or draw a simple map of the area, then create and complete a chart such as the following to report your findings. Include two pieces of information about each tourist site. Then find at least three important historical dates or events, and provide information for each of them.

Les Cévennes

	NOMS ET/OU DATES	DÉTAILS INTÉRESSANTS
ville importante		
ville importante		
site touristique		
site touristique		
fait historique		
fait historique		
fait historique		

Chapitre 7

Préparatifs

Vocabulaire en contexte

Au marché Mouffetard

A. **Au restaurant.** Vous dînez dans un bon petit restaurant français ce soir. Écoutez (*Listen to*) les questions de votre serveur (*waiter*) et donnez la meilleure (*best*) réponse.

> MODÈLE: Vous voyez (*You see*):   un kilo de bœuf / du vin rouge
> Vous entendez (*You hear*): Qu'est-ce que vous voulez comme vin?
> Vous dites (*You say*):   Je voudrais du vin rouge, s'il vous plaît.
> Vous entendez: Je voudrais du vin rouge, s'il vous plaît.

1. des petits pois / des oranges
2. du bœuf / du maïs
3. des pommes / des pommes de terre
4. des fruits / des haricots verts
5. des brocolis / des pommes
6. un citron / du champagne

B. **Des ingrédients.** Faites une liste d'ingrédients pour chaque plat (*each dish*).

Vocabulaire utile: du bœuf, des carottes, des cerises, du citron, des haricots verts, du ketchup, des légumes, du maïs, de la mayonnaise, un oignon, des petits pois, une pomme, des pommes de terre, du raisin, des tomates, de la viande, du vin rouge

> MODÈLE: un bon hamburger →
> du bœuf, des tomates, un oignon, du ketchup, de la mayonnaise

1. une salade mixte

_____

2. une sauce pour des spaghettis

_____

3. une salade de fruits

_____

4. une pizza végétarienne

_____

C. **Quel aliment?** Utilisez un mot (*word*) de la liste de vocabulaire pour compléter chaque phrase. Utilisez chaque mot une fois seulement (*only*).

Vocabulaire utile: aliments, boucher, boulanger, fruit, haricots verts, légumes, maïs, marchande, marché, raisin, supermarché, tomate, viande, vins

1. Ce restaurant a des _____ superbes; il y a un beaujolais, un

    chardonnay et un bon pinot noir.

2. J'achète des viandes chez le _____ près de chez moi. Le bœuf au

    _____ est horrible!

3. On a besoin de _____ rouge pour faire un vin rouge.

4. Pour préparer une pizza traditionnelle, on commence avec une bonne sauce

    _____.

5. On va manger des pommes comme dessert ce soir parce que la

    _____ de fruits n'a plus de cerises.

6. Sébastien est végétarien et il ne mange jamais de _____.

7. On va chez le marchand de _____ pour acheter des carottes, des

    petits pois et des pommes de terre.

8. Une tomate n'est pas un légume; c'est un _____.

9. Ce supermarché est énorme! Il a tous les _____ nécessaires pour un

    grand dîner—des fruits, des viandes, des légumes!

10. Les légumes—les petits pois, les _____ et le

    _____, par exemple—sont très bons pour la santé (*health*).

11. Je vais aller au _____ pour acheter mon déjeuner.

*L*es environs de la rue Mouffetard

A. **Où est-ce qu'on va?** Où est-ce qu'on va pour trouver ces aliments?

    MODÈLE: Vous entendez: Pour acheter du poulet, où est-ce qu'on va?
              Vous voyez: à la boucherie   chez le marchand de fruits
              Vous dites: On va à la boucherie pour acheter du poulet.
              Vous entendez: On va à la boucherie pour acheter du poulet.

1. à la poissonnerie   à la pâtisserie
2. à la pâtisserie   à la boulangerie
3. au supermarché   à la crémerie
4. à la crémerie   à la pâtisserie
5. chez la bouchère   à l'épicerie
6. à la charcuterie   chez la marchande de légumes
7. à la poissonnerie   à la charcuterie
8. chez le pâtissier   à la crémerie
9. chez l'épicier   chez le marchand de fruits
10. à l'épicerie   chez la boulangère

B. Les aliments. Utilisez un mot de la liste de vocabulaire pour compléter les phrases. Utilisez chaque mot une fois seulement.

Vocabulaire utile: beurre, boucherie, boulangerie, chaque, charcuterie, confiture, crème, crémerie, fromage, fruits de mer, œuf, pâtissier, plate, poulet, saucisses, saumon, sucre, tarte

1. Un café mocha est très simple à faire: il y a du café, du chocolat, de la

    _____, et du _____, si (*if*) on veut.

2. Les crevettes sont mes _____ favoris.

3. Chez ce _____ on trouve des éclairs et des petits biscuits délicieux!

4. Les charcuteries françaises ont des produits à base de porc comme le jambon et les

    _____.

5. Cette épicerie a deux sortes d'eau minérale—de l'eau gazeuse et de l'eau

    _____.

6. À la poissonnerie, on trouve du _____ et du thon frais (*fresh*).

7. Cette _____ au citron est délicieuse comme (*as*) dessert.

8. À côté de la charcuterie, il y a une _____ où vous allez trouver du

    bœuf pour des hamburgers.

9. Nous arrivons à la _____ à cinq heures du matin pour acheter du

    pain chaud.

10. Le camembert, le brie, le roquefort et le gruyère sont des variétés de

    _____ qu'on trouve souvent dans une bonne

    _____.

11. Au petit déjeuner (*breakfast*), on met (*puts*) souvent du beurre et de la

    _____ sur son pain.

12. On va chez le boucher pour acheter de la viande rouge et du _____.

13. Dans ce quartier, _____ marchand vend (*sells*) des aliments

    différents.

14. On fait des croissants français avec beaucoup de _____.

15. Mon père mange un _____ chaque matin avec du jambon et du café.

C. Des préparatifs. Les personnes suivantes veulent préparer certains plats. De quoi ont-ils besoin? Écrivez (*Write*) deux ou trois ingrédients pour chaque plat. Utilisez la liste de vocabulaire et d'autres mots que vous avez appris (*have learned*). Écrivez aussi où ils vont acheter ces ingrédients. *Attention:* Dans cet exercice, on utilise toujours la préposition **de**, sans article, après (*after*) l'expression **avoir besoin**.

MODÈLE: Chantal et Éric / une omelette →
Pour faire une omelette, Chantal et Éric ont besoin d'œufs (*eggs*), de fromage et de jambon. Ils vont à la crémerie et à la charcuterie.

Vocabulaire utile: beurre, carotte, confiture, crème, crevette, eau, fromage, fruits de mer, jambon, mayonnaise, pain, poisson, pomme de terre, porc, poulet, saucisses, saumon, sucre, thon, tomate

1. le pâtissier / une tarte

   _____

   _____

2. Papa / une soupe de poisson

   _____

   _____

3. tu / un sandwich

   _____

   _____

4. M. et Mme Forestier / un bœuf bourguignon

   _____

   _____

5. mes amis / un rôti (_roast_) avec légumes

   _____

   _____

6. je / une salade de fruits de mer

   _____

   _____

7. vous / une pizza

   _____

   _____

D. **À vous!** Vous préparez un barbecue chez vous. Écrivez un paragraphe pour répondre aux questions:

   • Pourquoi faites-vous la fête? (un anniversaire? le 4 juillet? une fête de famille?)
   • Qui vient à la fête?
   • Qu'est-ce que vous allez préparer?
   • De quels ingrédients et aliments avez-vous besoin?
   • Où allez-vous trouver ces ingrédients et ces aliments?

   _____

   _____

   _____

   _____

   _____

Visionnement 1

A. Dans quel ordre? Mettez les événements de l'Épisode 7 en ordre chronologique.

_____ Camille arrive chez Louise.

_____ Camille téléphone à Louise.

_____ Camille achète des légumes.

_____ Louise demande à Alex de lui acheter (*to buy her*) du champagne.

_____ Camille signe un autographe pour le boucher.

_____ Louise dit (*says*) qu'elle est un peu (*a little*) fatiguée.

B. À propos des personnages

Première étape. Selon votre compréhension de l'histoire jusqu'ici (*up to now*), décidez si les phrases suivantes sont vraies ou fausses ou si c'est impossible à dire (*to say*).

	VRAI	FAUX	IMPOSSIBLE À DIRE
1. Le quartier Mouffetard devient moderne.	☐	☐	☐
2. Il y a de grands supermarchés dans la rue Mouffetard.	☐	☐	☐
3. Louise habite dans une maison.	☐	☐	☐
4. Mado et Camille n'aiment pas Alex.	☐	☐	☐
5. Louise donne de l'argent à Alex.	☐	☐	☐
6. Alex va certainement changer de quartier pour son travail comme accordéoniste.	☐	☐	☐

Deuxième étape. Maintenant, écoutez ce texte sur la vie (*life*) d'Alex.

Alex. Tout le monde dans la rue Mouffetard adore Alex, surtout[1] son amie Louise. Il est toujours là avec sa joie de vivre et son accordéon, et les gens[2] du quartier aiment écouter sa musique et ses histoires.

Ce quartier pittoresque de Paris est parfait[3] pour Alex et les autres personnes qui aiment les traditions. Il y a un excellent marché en plein air, de petits restaurants, des magasins et surtout des appartements, comme[4] l'appartement de Louise. Les gens sont très fidèles[5] à leur petite rue...

Souvent, quand Alex vient jouer[6] sur la place, Louise descend l'écouter.[7] Ils sont les meilleurs amis du monde.[8] Alex choisit des chansons[9] que Louise aime et Louise passe des disques de musique traditionnelle pour lui quand il veut apprendre[10] des chansons. Camille et Mado, quand elles viennent chez Louise, parlent toujours avec Alex. Camille est très contente de savoir[11] qu'Alex est là, près de sa grand-mère chérie.[12]

Mais la vie d'Alex est difficile. Comment vivre de quelques euros[13] donnés par les touristes? Louise invite souvent Alex à déjeuner, mais ce quartier se modernise[14] et devient plus cher.[15] Alex pense parfois chercher un quartier différent, mais comment quitter[16] ses amis? Il ne veut pas partir.[17]

[1]*above all* [2]*people* [3]*perfect* [4]*like* [5]*loyal* [6]*to play* [7]descend... *comes down to hear him* [8]les... *the best friends in the world* [9]choisit... *chooses songs* [10]*to learn* [11]*know* [12]*dear* [13]vivre... *to live on a few euros* [14]se... *is becoming modernized* [15]plus... *more expensive* [16]*to leave* [17]*to leave*

Troisième étape. Maintenant, retournez à vos réponses dans la première étape et corrigez-les (*correct them*), si nécessaire, en vous basant sur (*based on*) le texte précédent.

C. **Vous avez compris?** Écoutez les questions. En vous basant sur l'histoire d'Alex, décidez quel personnage est indiqué. Est-ce Louise? Camille? Alex?

> MODÈLE: Vous entendez: Qui n'habite pas dans la rue Mouffetard?
> Vous dites: C'est Camille.
> Vous entendez: C'est Camille.

1. …   2. …   3. …   4. …   5. …   6. …

Prononciation et orthographe

Les voyelles /y/ et /u/

La voyelle /y/

The vowel sound /y/ has no equivalent in English. To pronounce it properly, round your lips and at the same time say /i/. The sound produced will be /y/. Listen and repeat.

> **tu**   **rue**

Notice that this sound is spelled as **u**.

La voyelle /u/

The vowel sound /u/ is similar to the vowel sound in the English word *too*. The English vowel is accompanied by an off-glide: /tu^w/. When pronouncing the French vowel, keep both your jaw and your tongue stationary to avoid the off-glide. Listen and repeat.

> **souvent**   **où**

Notice that this sound can be spelled as **ou** or **où**.

A. **Anglais ou français.** Listen to the speaker and circle the word you hear. Is it English or French?

	ENGLISH	FRENCH		ENGLISH	FRENCH
1.	rouge	rouge	7.	buffet	buffet
2.	encourage	encourage	8.	super	super
3.	four	four	9.	costume	costume
4.	cousin	cousine	10.	lecture	lecture
5.	pour	pour	11.	rue	rue
6.	noose	nous	12.	amuse	amuse

B. **Jouer à cache-cache. (*Playing hide and seek.*)** Listen to each sentence. Then repeat it aloud, paying special attention to the highlighted letters, which represent the sounds /y/ and /u/. You will hear and repeat each sentence twice.

1. Est-ce que **tu joues** à cache-cache?
2. **Où** se tr**ou**ve mon c**ou**sin?
3. Est-ce qu'il est s**ou**s la table?
4. J'ai v**u** ta c**ou**sine L**u**cie!
5. **Tu** peux tr**ou**ver Susanne en dess**ou**s d**u** bureau.
6. J**u**lie n'est pas ici! **V**oulez-vous regarder dans la r**ue**?!
7. **V**ous ne p**ou**vez pas me voir! Je suis en dess**ou**s d**u** lit.

Structure 21

L'article partitif et les expressions de quantité
Talking about quantities

A. **Le partitif.** Écoutez bien les questions. Pour répondre à l'affirmatif, utilisez la forme polie (*polite*) du verbe **vouloir** et l'article partitif (**de la, du, de l'**), ou l'article indéfini **des.** Pour répondre au négatif, utilisez le présent du verbe **vouloir** et **de.**

> MODÈLE: Vous entendez: Voulez-vous de la confiture?
> Vous voyez: oui
> Vous dites: Oui, je voudrais de la confiture, s'il vous plaît.
> Vous entendez: Oui, je voudrais de la confiture, s'il vous plaît.

> MODÈLE: Vous entendez: Voulez-vous du pain?
> Vous voyez: non
> Vous dites: Non, merci, je ne veux pas de pain.
> Vous entendez: Non, merci, je ne veux pas de pain.

1. oui		5. oui	
2. oui		6. non	
3. non		7. oui	
4. non		8. oui	

B. **Expressions de quantité.** Écoutez les questions et répondez à l'affirmatif avec l'expression de quantité donnée.

> MODÈLE: Vous entendez: Voulez-vous du vin?
> Vous voyez: une bouteille
> Vous dites: Oui, je voudrais une bouteille de vin, s'il vous plaît.
> Vous entendez: Oui, je voudrais une bouteille de vin, s'il vous plaît.

1. beaucoup		5. un peu	
2. un kilo		6. trois morceaux	
3. une livre		7. une boîte	
4. une douzaine		8. un demi-kilo	

C. Combien? Utilisez les expressions de quantité entre parenthèses pour être plus spécifique.

MODÈLE: Papa vient d'acheter des pommes. (un kilo) →
Papa vient d'acheter un kilo de pommes.

1. Il y a des pâtisseries sur la table. (beaucoup)

    _____

2. Il ne veut pas manger de sucre. (trop)

    _____

3. Voulez-vous de l'eau minérale? (un peu)

    _____

4. Ils ont de la confiture dans le frigo. (peu)

    _____

5. La marchande de fruits a des citrons. (une douzaine)

    _____

6. Nous achetons du saumon. (un demi-kilo)

    _____

7. Est-ce que tu as des éclairs pour ce soir? (assez)

    _____

8. Voulez-vous du pain? (un morceau)

    _____

9. Je voudrais du thon, s'il vous plaît (une boîte)

    _____

D. Un dîner chez François. Mettez l'article indéfini (**un, une, des**), l'article défini (**le, la, les**), l'article partitif (**du, de la, de l'**) ou **de (d')**.

Mme Thibault aime bien manger. Son fils François fait bien la cuisine. François prépare toujours un

dîner avec _____ ^1 ingrédients très frais et _____ ^2 bon vin. Mme Thibault

adore _____ ^3 vin rouge et elle mange souvent _____ ^4 viande. Son fils est

végétarien. Il ne mange jamais _____ ^5 viande et il déteste _____ ^6

poisson. Il pense que _____ ^7 légumes sont bons pour la santé. Ce soir, François va

préparer _____ ^8 grande salade avec beaucoup _____ ^9 légumes, et

_____ ^10 spaghettis. Comme dessert, ils vont manger un bon morceau

_____ ^11 fromage. Ce n'est pas _____ ^12 roquefort parce que Mme

Thibault n'aime pas _____ ^13 fromage français. Ils espèrent passer beaucoup

_____ ^14 temps à table.

E. Vos préférences. Dites (*Say*) combien vous aimez ou détestez les aliments suivants. Dites aussi si vous mangez ces aliments souvent ou rarement, et quelle quantité de ces aliments vous voulez.

Vocabulaire utile:
j'adore, j'aime bien, je déteste
ne jamais, parfois, rarement, souvent
beaucoup, une boîte, une bouteille, une douzaine, un kilo, un morceau, un peu

MODÈLE: crevettes →
J'adore les crevettes. Je mange souvent des crevettes. Je voudrais une douzaine de crevettes, s'il vous plaît.

1. porc

_____

_____

_____

2. thon

_____

_____

_____

3. confiture aux fraises (*strawberries*)

_____

_____

_____

4. pâtisseries

_____

_____

_____

5. petits pois

_____

_____

_____

6. fromage

_____

_____

_____

F. **Nos préparatifs.** Marceline et moi, nous préparons un dîner chez elle ce soir. Formez des phrases complètes avec les éléments donnés. Faites les changements (*changes*) nécessaires et utilisez l'article qui convient (*that applies*) (défini, indéfini ou partitif).

MODÈLE: nous / aller / dans / beaucoup / petits magasins →
Nous allons dans beaucoup de petits magasins.

1. nous / commencer / à / boulangerie / où / nous / trouver / pain / français

   _____

2. Marceline / ne pas aimer / poisson

   _____

3. elle / préférer / viande

   _____

4. alors, / nous / acheter / saucisses / et / deux kilos / bœuf

   _____

5. Marceline / aller / chez / pâtissier / et / acheter / bon / tarte / au citron

   _____

6. je / adorer / desserts / et / je / manger / souvent / trop / choses sucrées (*sweet things*)

   _____

7. nous / ne jamais manger / fromage / après le dîner

   _____

8. alors, / nous / ne pas avoir besoin / aller / à / crémerie

   _____

9. je / acheter / bouteille / vin rouge

   _____

10. je / espérer que / nous / avoir / assez / eau minérale

    _____

Structure 22

Le complément d'objet indirect
Avoiding repetition

A. **De qui parle-t-on?** (*Of whom are we speaking?*) Chaque phrase contient (*contains*) un pronom complément d'objet indirect. Quelle(s) personne(s) remplace-t-il dans chaque phrase? Choisissez (*Choose*) la réponse la plus logique.

MODÈLE: Les étudiants vous donnent leur numéro. →
à Chantal et à moi   (à Chantal et à toi)

1. Nous lui parlons au téléphone.   à Pascal   aux journalistes
2. Jacqueline leur achète une tarte. à René et à Guy   à Madeleine
3. On nous demande de venir à la fête. à toi et à moi   à tes cousines
4. Tu me donnes dix euros?   à moi   à mes enfants et à moi
5. Tout le monde veut te parler.   à moi   à toi
6. Je lui montre mes CDs.   à elle   à eux
7. Les étudiants lui parlent souvent. à Élise   à Sarah et à Laurent
8. Tante Léonie leur achète une bonne à maman   à maman et à papa
   bouteille de vin.

B. **Remplacements.** Faites une nouvelle (*new*) phrase avec le pronom complément d'objet indirect suggéré par les mots donnés.

Pronoms compléments d'objet indirect: me, te, lui, nous, vous, leur

> MODÈLE: Vous entendez: Je lui parle.
> Vous voyez: à toi
> Vous dites: Je te parle.
> Vous entendez: Je te parle.

1. à vous
2. à moi
3. à Jules et à François
4. au prof
5. à nous
6. à elles
7. à Mme Montel

C. **Qu'est-ce qu'on fait?** Complétez les phrases selon le modèle. Utilisez le pronom complément d'objet indirect correct.

> MODÈLE: (mon frère) Je _____ montre la vidéo. →
> Je lui montre la vidéo.

1. (ses petites-filles) Cette grand-mère ne _____ parle pas assez souvent.

2. (le journaliste) Vous _____ téléphonez à midi.

3. (moi) Mon amie _____ achète un cadeau (*gift*).

4. (les professeurs) Les étudiants _____ donnent les devoirs.

5. (Suzanne et moi) Pourquoi ne vas-tu plus _____ parler?

6. (toi) Ce vendeur _____ demande de payer.

7. (Didier et toi) _____ donne-t-il la réponse?

8. (la boulangère) Nous venons de _____ demander si elle a du pain.

D. L'anniversaire de papy. (Grandpa's birthday.) Vous pensez à préparer une fête pour l'anniversaire de votre grand-père. Remplacez les expressions soulignées (<u>underlined</u>) par le pronom complément d'objet indirect qui convient. *Attention:* Mettez le pronom à la place correcte dans la phrase.

1. D'abord (*First of all*), je vais téléphoner <u>à mes parents</u>.

   _____

2. Je demande <u>à ma sœur</u> de préparer un gâteau (*cake*) au chocolat pour papy.

   _____

3. Mes frères espèrent acheter une veste en cuir (*leather*) <u>à papy</u>.

   _____

4. Nous ne voulons pas demander <u>à nos frères</u> de venir en avance.

   _____

5. Je montre <u>au poissonnier</u> le poisson que papy préfère.

   _____

6. Nous n'allons pas parler <u>à papy</u> avant (*before*) la fête.

   _____

7. J'espère que la surprise va faire plaisir (*pleasure*) <u>à papy</u>.

   _____

E. Un copain jaloux. (A jealous boyfriend.) Charles est un copain très jaloux. Mettez en français les questions qu'il pose à sa copine (*girlfriend*) Amélie.

1. He asks Amélie if she will phone him tonight.

   _____

2. He asks to whom she just spoke.

   _____

3. He asks if she is going to give her phone number to him (the person she spoke to).

   _____

4. He asks whether her friends are at home.

   _____

5. He says she calls them too often and doesn't call him enough.

   _____

6. He asks why she doesn't buy him any gifts (**cadeaux**).

   _____

7. He asks why the grocer always gives her a smile (**un sourire**).

   _____

8. He says he's going to ask him (the grocer) why.

   _____

Regards sur la culture

Pour faire les courses en France

Auchan est une grande chaîne de supermarchés en France. Que peut-on y° acheter?
On trouve beaucoup d'aliments chez Auchan.

°*there*

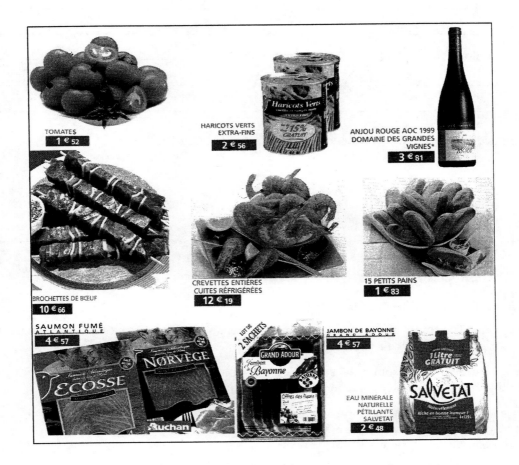

Vous faites les courses. Regardez la publicité et choisissez un produit qui correspond à chaque situation. Notez la quantité que vous voulez et aussi le prix (*price*) de chaque achat (*purchase*) en euros.

> MODÈLE: Je veux manger de la viande. →
> J'achète un kilo de brochettes de bœuf.
> Ça fait 10,66 € le kilo.

1. J'ai très chaud et j'ai soif. _____

_____

_____

2. J'adore les fruits de mer. _____

_____

_____

3. Je mange beaucoup de légumes. _____

_____

_____

4. Je veux faire un sandwich. _____

_____

_____

5. Nous voulons boire quelque chose avec notre dîner. _____

_____

_____

Maintenant, calculez le total de vos achats en euros. Ça fait _____ €.

Structure 23

Les verbes *prendre, mettre, boire*

Talking about everyday activities

A. **Prononciation.** The forms of the verbs **prendre, mettre,** and **boire** are irregular. In each case, notice the following facts about their pronunciation.

- The singular forms all sound the same. You must pay attention to the pronoun, since it clarifies which person the speaker is talking about. Listen and repeat.

  je prends, tu prends, il prend, elle prend, on prend
  je mets, tu mets, il met, elle met, on met
  je bois, tu bois, il boit, elle boit, on boit

- You can differentiate between the singular **il/elle** forms and the plural **ils/elles** forms by listening for the final sound in the verb. The singular form ends with a vowel sound; the plural has a final consonant sound. Listen and repeat.

  il prend, ils prennent
  elle met, elles mettent
  il boit, ils boivent

- There is a change in the vowel sound for the **nous** and **vous** forms of each verb. Listen and repeat.

  nous prenons, vous prenez
  nous mettons, vous mettez
  nous buvons, vous buvez

Now listen to each sentence and repeat it aloud. Then circle the verb form you hear. Pay attention to both the pronoun and the verb. You will hear each sentence twice.

1.	boit	boivent	7.	mettent	mettez	
2.	met	mettent	8.	boit	boivent	
3.	met	mets	9.	prend	prends	
4.	prend	prennent	10.	met	mettent	
5.	bois	boit	11.	boivent	buvons	
6.	prend	prennent	12.	prenez	prennent	

B. Qu'est-ce qu'on boit? Dites ce que (*what*) les personnes suivantes boivent. Transformez chaque phrase en faisant (*making*) l'accord du verbe et du sujet suggéré.

> MODÈLE: Vous entendez: Nous buvons de l'eau minérale.
> Vous voyez: la vendeuse
> Vous dites: La vendeuse boit de l'eau minérale.
> Vous entendez: La vendeuse boit de l'eau minérale.

1.	mon ami	3.	vous	5.	les enfants	7.	nous
2.	je	4.	on	6.	tu	8.	Renée

C. Qui prend quoi? Dites qui prend les choses suivantes.

> MODÈLE: Vous entendez: Qui prend un hamburger?
> Vous voyez: Giselle
> Vous dites: Giselle prend un hamburger.
> Vous entendez: Giselle prend un hamburger.

1.	tout le monde	4.	je	7.	vous	
2.	Mme Fauberge	5.	tu	8.	nous	
3.	Danielle et Benoît	6.	les Doucet	9.	Xavier	

D. Les verbes comme *mettre*. Donnez la forme correcte des verbes entre parenthèses. *Note:* Vous avez besoin de l'infinitif dans une phrase.

1. Maman ne _____ (permettre) pas aux enfants de manger trop.

2. Ils nous _____ (promettre) de venir chez nous au mois de juin.

3. Quand j'ai très froid, je _____ (mettre) un pull-over au-dessus de ma chemise.

4. Nous _____ (mettre) la table quand Paul fait la cuisine.

5. J'ai envie d'écouter de la musique. Veux-tu _____ (mettre) la radio?

6. Est-ce que vous me _____ (promettre) de travailler dur (*hard*) cette année?

7. Tu ne _____ (mettre) jamais la télé?

8. Sandrine _____ (promettre) de me téléphoner.

E. **Le Chemin du retour.** Complétez chaque phrase avec un des verbes de la liste.

Vocabulaire utile: apprendre, boire, comprendre, mettre, permettre, prendre, promettre

1. Yasmine ne _____ pas pourquoi ses parents sont séparés.

2. Yasmine à son père: «Tu me _____ que maman m'aime toujours (*still loves me*)?»

3. La maîtresse est gentille; elle _____ aux élèves de jouer au Jardin des Plantes.

4. Bruno à Hélène: «Tu _____ un verre avec moi?»

5. Mado et Camille _____ une coupe de champagne, mais Rachid ne veut pas d'alcool ce soir-là.

6. Rachid _____ le nom de ses collègues dès son premier (*from his first*) jour au travail.

F. **Questions personnelles.** Répondez aux questions en français.

1. Comprenez-vous toujours quand le prof de français parle?

   _____

2. Combien de temps mettez-vous à faire vos devoirs le week-end?

   _____

3. Qu'est-ce que vous prenez dans un restaurant élégant?

   _____

4. Qu'est-ce que vous buvez quand vous avez vraiment soif?

   _____

5. Qu'est-ce que vous mettez quand vous faites du sport?

   _____

6. Est-ce que vous permettez à vos amis de téléphoner après minuit?

   _____

7. Essayez-vous de boire beaucoup d'eau?

   _____

8. Prenez-vous des décisions facilement?

   _____

9. Quelle sorte de devoir vous prend (*takes you*) beaucoup de temps?

   _____

10. Apprenez-vous à faire un sport difficile? à jouer d'un instrument de musique? Expliquez.

    _____

Visionnement 2

Après le visionnement. Considérez l'information culturelle dans ce chapitre et dans l'Épisode 7 du film, puis (*then*) regardez la photo. Mettez ensemble des éléments des deux colonnes pour analyser le contenu culturel de l'interaction entre Camille et la marchande de légumes.

DANS LE FILM	EXPLICATION CULTURELLE
1. La marchande dit que les carottes arrivent de Bretagne. _____	a. La marchande de légumes est très fière (*proud*) de ses produits.
2. La marchande sert Camille. _____	b. Camille fait preuve de respect envers (*shows respect for*) la marchande de légumes.
3. Camille demande si les pommes de terre sont bonnes. _____	c. Les clients ne touchent généralement pas eux-mêmes aux produits.
4. La marchande dit que les pommes de terre sont de «premier choix». _____	d. Camille veut seulement la quantité nécessaire pour un repas.
5. Camille dit «vous» à la marchande. _____	e. Camille s'intéresse vraiment à la qualité des produits qu'elle achète.
6. Camille n'achète pas beaucoup de légumes. _____	f. La marchande connaît (*knows*) l'origine de ses produits.

À écrire

Une année à l'étranger

Vous allez passer un an en France. Dans cet exercice, vous écrivez une lettre à votre famille d'accueil (*host family*) et vous parlez de vos préférences culinaires. Vous demandez (*ask*) aussi leurs préférences.

Première étape. Faites une liste de sujets.

- heure des repas

- repas typiques

- allergies

- _____

- _____

- _____

Deuxième étape. Écrivez vos catégories sur la première ligne (*row*) dans le tableau. Faites une liste de vocabulaire pour chaque catégorie. Pour **repas typiques**, organisez vos mots selon les repas: **petit déjeuner** (*breakfast*), **déjeuner** (*lunch*), **dîner**.

HEURE DES REPAS	REPAS TYPIQUES	ALLERGIES			
tôt/tard à... heure(s)	petit déjeuner: déjeuner: dîner:	être allergique à			

Troisième étape. Écrivez votre lettre en utilisant (*using*) vos préparations de la première et la deuxième étapes.

MODÈLE: Chers Monsieur et Madame Montaigner,
Voulez-vous connaître (*to know*) mes habitudes et mes goûts (*tastes*) alimentaires? Quand je suis chez moi, je prends le petit déjeuner très tôt. Et vous, à quelle heure est-ce que vous prenez le petit déjeuner? Qu'est-ce que vous prenez d'habitude?...

_____

_____

_____

_____

_____

_____

_____

_____

_____

_____

Quatrième étape. Quand vous avez fini (*When you have finished*) votre lettre, regardez vos phrases et cherchez des fautes d'orthographe (*spelling errors*), de ponctuation, de grammaire (par exemple, les accords sujet-verbe et substantif-adjectif) et de vocabulaire. Faites particulièrement attention à l'usage des articles définis, indéfinis et partitifs. S'il y a des fautes, corrigez-les (*correct them*).

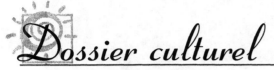

Dossier culturel

A. Une visite guidée du Quartier latin. Imaginez que vous habitez Paris. Des amis viennent vous rendre visite (*to visit you*) pour trois jours. Utilisez des ressources imprimées (*printed*) ou des liens sur **www.mhhe.com/debuts** pour organiser une visite guidée du Quartier latin. Choisissez un point de départ, trois étapes importantes et un point d'arrivée. Pour chaque point ou étape, mentionnez au moins un fait historique (utilisez le présent), un anecdote et un fait d'actualité (*current fact*). Vous pouvez utiliser un tableau pour organiser vos idées.

nom du site					
fait(s) historique(s)					
anecdote(s)					
fait(s) d'actualité					

Après, marquez le trajet (*route*) de votre visite sur un plan (*map*) du quartier.

L'amphithéâtre Richelieu
à la Sorbonne

La place Saint-Michel

La Sorbonne

B. Une recette française. (*A French recipe*.) Utilisez des ressources imprimées ou des liens sur **www.mhhe.com/debuts** pour choisir (*to choose*) une recette française. Faites une liste d'ingrédients et décrivez la préparation de la recette. Ensuite, préparez le plat et faites un commentaire sur la préparation et une brève évaluation des résultats (*results*).

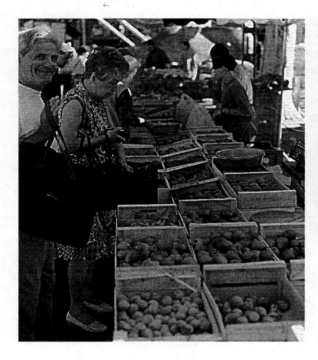

Au marché, on achète des ingrédients frais.

On peut trouver toutes sortes d'olives au marché.

Chapitre **8**

C'est loin, tout ça.

Vocabulaire en contexte

Les repas en France

A. *Le Coq Hardi.* Marie est dans un petit café, *Le Coq Hardi*. Écoutez le dialogue et ensuite (*then*) complétez les phrases suivantes. Vous allez entendre (*hear*) le dialogue deux fois.

SERVEUR: Bonjour, madame!

MARIE: Bonjour!

SERVEUR: Vous désirez?

MARIE: Je voudrais _____.[1]

SERVEUR: Voulez-vous de l'eau _____[2] ou

_____[3]?

MARIE: De l'eau plate, s'il vous plaît.

SERVEUR: Très bien. Et avec votre boisson? Est-ce que vous _____[4]?

MARIE: Oui, je vais prendre _____.[5]

SERVEUR: Pardon, madame. Nous n'avons pas de _____[6] ici. Mais on a

de très bonnes _____[7] et quelques variétés de

_____.[8] Voulez-vous un sandwich au

_____,[9] par exemple?

MARIE: Euh… non, merci. Je préfère une salade parce que c'est

_____.[10] Alors, je voudrais une salade au Roquefort et

_____[11]

SERVEUR: Très bien, madame. Et _____[12] votre salade? Que voulez-vous

_____[13] dessert, madame?

MARIE: Merci, mais je ne prends pas de dessert. Je n'aime pas les

_____ [14] _____.[15]

B. **Vous désirez?** Regardez le dessin et choisissez les aliments qui conviennent (*that apply*) pour compléter les phrases.. Faites attention aux articles (définis, indéfinis ou partitifs).

MODÈLE: Je prends toujours une bonne tasse de thé le matin parce que je n'aime pas le café.

1. Je n'aime pas trop les boissons alcoolisées, mais parfois je bois _____.

2. Voici les ingrédients d'une omelette au _____: un bon morceau de

    Gruyère, trois _____ et un peu de _____

    et de _____.

3. Je préfère prendre un dessert léger comme _____. Mon mari adore

    les choses sucrées alors il prend souvent _____.

4. Cette _____ à l'oignon est très bonne comme entrée.

5. Si vous aimez le fast-food, je recommande _____ et

    _____, comme plat principal.

6. Pour préparer _____, on met du beurre et un peu de confiture sur

    un morceau de pain.

7. J'aime beaucoup _____ avec une bonne sauce tomate et du fromage.

8. Chez moi, nous mangeons _____ blanc avec nos repas, un peu

    comme les japonais. Nous aimons beaucoup le sushi et la sauce soja (*soy*).

9. Je préfère la romaine. Je n'aime pas beaucoup _____ «iceberg»

    comme les Américains.

C. **Complétez la liste.** Complétez les listes suivantes avec les mots de vocabulaire qui conviennent. Utilisez un mot une fois seulement (*only*) et l'article partitif défini ou indéfini si nécessaire.

Vocabulaire utile: boissons, charcuterie, coca, déjeuner, desserts, dîner, entrées, fast-food, frites, jus d'orange, lait, mousse au chocolat, œuf dur mayonnaise, petit déjeuner, viandes

1. des *viandes* : du mouton, du poulet, de la _____, du bœuf et du veau

2. des _____: de l'eau, du thé, du café au _____, et du _____

3. du _____: un hamburger, des frites, un _____

4. des _____: une salade, du saucisson, un _____

5. des _____: un fruit, de la glace, de la tarte, de la _____

6. des repas: le _____, le _____, le _____

D. **Un repas chez vous.** Donnez une description d'un repas pour les situations suivantes. Utilisez les listes de vocabulaire et aussi d'autres mots que vous avez appris.

À boire: café au lait, café noir, champagne, coca, eau minérale, jus d'orange, lait, thé, vin (rouge, blanc, rosé)

À manger: charcuterie, croissant, daube de veau, frites, fromage, hamburger, légumes, mouton, œuf, œuf dur mayonnaise, mousse au chocolat, omelette, pain, pâtes (*pasta*), petit pain, poulet, salade, salade de tomates, sandwich(s), saumon, spaghettis à la sauce tomate, tarte, tartine

MODÈLE: Un ami qui aime les repas italiens vient dîner. Qu'est-ce que vous préparez? → Je prépare un repas de pâtes à la sauce pesto et du pain à l'ail (*garlic*). Comme entrée, nous mangeons une salade antipasto avec de la charcuterie. Nous buvons du vin rouge italien.

1. Une amie végétarienne vient dîner chez vous.

   _____

   _____

2. Vous dînez dans un restaurant élégant. Que prenez-vous comme entrée, avant le plat principal?

   _____

   _____

3. Vous préparez un repas pour une fête (*holiday*) avec votre famille.

   _____

   _____

4. Vous déjeunez dans un parc avec vos amis.

_____

_____

5. Vous déjeunez seul(e) (*alone*) devant la télé.

_____

_____

6. Il est samedi et vous ne travaillez pas. Que prenez-vous comme petit déjeuner?

_____

_____

7. Des amis viennent chez vous après un concert. Qu'est-ce que vous leur donnez à manger et à boire?

_____

_____

À table

A. À table. Vous allez entendre (*hear*) le début d'une phrase. Donnez la phrase complète en utilisant un des choix (*choices*) proposés.

> MODÈLE: Vous entendez : On met le vin
> Vous voyez (*see*): dans le verre   dans la tasse
> Vous dites: On met le vin dans le verre.
> Vous entendez: On met le vin dans le verre.

1. derrière l'assiette   sur la serviette
2. sur les genoux (*knees*)   sur la table
3. dans une tasse   dans un verre
4. pour couper (*to cut*) la viande   pour manger la viande
5. pour manger les légumes   pour manger la soupe
6. pour manger du pain   pour manger de la glace
7. avec le sucre   avec le poivre
8. sur les genoux   sur la table

B. L'étiquette à table. Regardez les images à la page 161 et lisez (*read*) bien les conseils (*advice*). Mettez le numéro pour chaque conseil sous l'image qui convient.

1. Mettez votre pain sur la table, à côté de l'assiette.
2. Mangez votre pain avec le repas.
3. Ne parlez pas la bouche pleine (*with your mouth full*).
4. Ne coupez pas votre pain. Rompez-le. (*Tear it.*)
5. Ne coupez pas votre salade. Pliez-la. (*Fold it.*)
6. Tenez (*Hold*) votre fourchette dans la main gauche (*left hand*) pour porter un morceau de viande à la bouche.

_____ _____ _____

_____ _____ _1_

Visionnement 1

A. Que savez-vous? Selon votre compréhension du film, complétez chaque phrase avec un mot de la liste.

Vocabulaire utile: des amis, le dîner, sa famille, sa fille, son grand-père, ses deux grands-parents, la mère, son père, une photo

1. Yasmine et Rachid sont surpris de voir (*to see*) _____ de Yasmine à l'école.

2. Bruno et Hélène sont _____.

3. Mado ne veut pas parler de _____.

4. Rachid trouve _____ dans le livre sur les Cévennes.

5. Camille agrandit (*enlarges*) la photo de mariage de _____.

6. Camille fait les courses pour préparer _____ pour sa grand-mère.

7. Camille donne une photo de _____ à Louise.

8. Mado est furieuse contre _____ à cause de la photo d'Antoine.

B. À propos des personnages

Première étape. Selon votre impression du caractère de Louise, la grand-mère de Camille, à qui dirait-elle (*would she say*) les choses suivantes: à Camille, à Mado ou aux deux (*to both*)?

	CAMILLE	MADO	LES DEUX
1. Je suis contente que tu dînes chez moi une fois par semaine.	☐	☐	☐
2. Je ne veux pas parler de ton grand-père.	☐	☐	☐
3. Tu es une fille très indépendante. C'est formidable!	☐	☐	☐

	CAMILLE	MADO	LES DEUX
4. Tu devrais (*should*) être une fille calme et sage (*good*).	☐	☐	☐
5. Dans notre famille, nous ne parlons pas du passé.	☐	☐	☐
6. Merci pour la photo d'Antoine.	☐	☐	☐
7. Tu dois avoir confiance en toi au travail.	☐	☐	☐

Deuxième étape. Maintenant, écoutez ce texte sur le rapport entre Louise et Camille.

Quelle joie pour Louise! Une fois par semaine, sa petite-fille vient dîner chez elle. Et Camille attend[1] ce moment avec impatience aussi. Même[2] quand Louise est un peu fatiguée et que Camille a beaucoup de travail, les deux femmes trouvent le temps de prendre un repas ensemble.

Louise est la meilleure[3] amie de Camille et elle comprend bien sa petite-fille. La petite Mado avait toujours besoin[4] de protection, et Louise a toujours encouragé[5] sa fille à être calme et sage.[6] Mais Louise adore l'indépendance et l'énergie de sa petite-fille. Elle ne critique pas l'agressivité de Camille vis-à-vis de son travail; elle l'encourage même à travailler.

Ces soirées[7] ensemble sont très importantes. La grand-mère et sa petite-fille parlent de leur journée,[8] de leur vie[9] et de leurs projets. Mais le secret d'Antoine les sépare.[10] Louise ne parle jamais de son mari et Camille ne pose pas de questions. Maintenant, Camille veut savoir.[11] Qui est cet homme mystérieux? Pourquoi refuse-t-on d'en parler[12]? C'est pour cela que[13] ce soir elle décide de montrer la photo d'Antoine à sa grand-mère. Et Louise? Elle est très touchée par la photo et par les questions de Camille. Que va-t-elle répondre[14]?…

[1]*waits for* [2]*Even* [3]*best* [4]*avait… always needed* [5]*a… always encouraged* [6]*well behaved* [7]*evenings* [8]*day* [9]*life* [10]*les… separates them* [11]*to know* [12]*d'en… to speak of him* [13]*C'est… It's for that reason that* [14]*respond*

Troisième étape. Maintenant, retournez à vos réponses dans la première étape et corrigez-les (*correct them*), si nécessaire, en vous basant sur le texte précédent.

C. Vous avez compris? En vous basant sur le texte précédent, décidez si les phrases suivantes sont vraies ou fausses ou si c'est impossible à dire (*impossible to say*).

	VRAI	FAUX	IMPOSSIBLE À DIRE
1.	☐	☐	☐
2.	☐	☐	☐
3.	☐	☐	☐
4.	☐	☐	☐
5.	☐	☐	☐
6.	☐	☐	☐

Prononciation et orthographe 🎧

Les voyelles nasales

You already know that in addition to the oral vowels you've learned, French has what are called "nasal vowels." Here are some general rules about them.

1. Nasal vowels occur in certain cases in French when a vowel or a combination of vowels is followed by the letter **m** or **n**. In these cases, the **m** or **n** is not itself pronounced.

   - For the sound /ɛ̃/, pronounce the **-an** of the English word *pan*, but drop the **-n** while still keeping the vowel nasalized. Practice by repeating the vowel sound and these words after you hear them. Notice the letters that produce the sound.

     /ɛ̃/   **faim**   à de**main**   im**possible**   **cinq**   **sym**phonie   **syn**thèse   **un***

   - For the sound /ɑ̃/, pronounce the **-aunt** of the English word *taunt*, but drop the **-nt** while still keeping the vowel nasalized. Practice by repeating the vowel sound and these words after you hear them. Notice the letters that produce the sound.

     /ɑ̃/   **am**phithéâtre   fra**nçais**   **em**brasser   **con**férence

   - For the sound /ɔ̃/, pronounce the English word **don't**, but drop the **-n't** while still keeping the vowel nasalized. Practice by repeating the vowel and these words after you hear them. Notice the letters that produce the sound.

     /ɔ̃/   **com**plétez   **com**ptine   **bon**jour   **con**férence

2. Sometimes a vowel can be followed by **m** or **n** and *not* be nasal. This occurs when a single or doubled **m** or **n** is followed by another vowel. Listen and repeat. The boldface vowels are *not* nasal and the **m** or **n** that follows them *is* pronounced.

M**a**dame	Emm**a**nuel	imm**i**gré	c**o**mme
canad**ie**nne	fen**ê**tre	pers**o**nne	univers**i**té

A. Distinguez. Listen carefully to the words that you hear, and decide whether you are hearing a nasal vowel or an oral vowel. Circle your selection.

	VOYELLE NASALE	VOYELLE ORALE		VOYELLE NASALE	VOYELLE ORALE
1.	vain	vaine	3.	fin	fine
2.	on	homme	4.	an	Anne

B. Écoutez et soulignez. Listen carefully to the following sentences. Underline the nasal vowels only.

1. La maîtresse est là. Elle est très sympa. Regarde!

2. Allez viens, ma chérie. Regarde les enfants.

3. Au Jardin des Plantes, pour une leçon de sciences naturelles.

4. Bonne chance, papa.

5. Pour toi aussi, c'est un grand jour, non?

---

*There is a fourth, less common nasal vowel, /œ̃/. In some regions this is still used for the pronunciation of **un** and other words or syllables ending in **-um** and **-un**. Its usage in general is declining, however.

C. Répétez. Now listen to the sentences again. Repeat each one aloud after you hear it.

1. …   2. …   3. …   4. …   5. …

*S*tructure 24

*L*es verbes réguliers en *-re*

Talking about everyday activities

A. Prononciation. There are three important things to remember about the pronunciation of regular *-re* verbs.

1. The endings of **-re** verbs for **je** and **tu** are never pronounced, and the singular **il/elle/on** form doesn't even have an ending. In addition, the final consonant of the stem is not pronounced. Therefore, all three singular verb forms sound exactly alike. The subject noun or pronoun helps to clarify meaning. Listen and repeat.

   je réponds   tu réponds   il répond

2. The plural **ils/elles** form also has an ending that is not pronounced, but the final consonant of the stem *is* pronounced. This is most often a **d.** Thus, the difference between the singular **il/elle** form and the plural **ils/elles** form is clear not from the pronoun but rather from the final sound of the verb. Listen and repeat.

   elle répond /ɛl ʀepɔ̃ /   elles répondent /ɛl ʀepɔ̃d /

3. To use the **nous** and **vous** forms, pronounce both the final consonant of the stem *and* the ending. Listen and repeat.

   nous répondons   vous répondez

Now listen to each sentence, and repeat it aloud. Then indicate whether the subject is one person or more than one person or whether it is impossible to say (**impossible à dire**). You will hear each sentence twice.

	1.	2.	3.	4.	5.	6.	7.
une personne	☐	☐	☐	☐	☐	☐	☐
2+ personnes	☐	☐	☐	☐	☐	☐	☐
impossible à dire	☐	☐	☐	☐	☐	☐	☐

B. Quelques activités typiques. Créez des phrases en français en employant les éléments donnés et les sujets que vous entendez.

MODÈLE: Vous voyez: rendre visite à mes amis
         Vous entendez: je
         Vous dites: Je rends visite à mes amis.
         Vous entendez: Je rends visite à mes amis.

1. attendre ton père devant la bibliothèque
2. répondre aux questions du prof

3. répondre aux questions des étudiants
4. perdre souvent patience
5. descendre du bus
6. vendre du pain
7. rendre les devoirs au professeur
8. entendre le journaliste à la radio

C. Au supermarché. Complétez les phrases avec la forme correcte d'un des verbes suivants.

Vocabulaire utile: attendre, descendre, entendre, perdre, rendre, répondre, vendre

1. Quand je vais au supermarché, je prends toujours le métro. Je _____

    à la place Saint-Georges.

2. Je demande au boulanger du supermarché: «_____ -vous des

    croissants ici?» et il me _____, «Mais oui, monsieur, et des pains

    au chocolats aussi!»

3. Je demande à la bouchère de me donner du poulet, mais elle n'_____

    pas bien, alors je répète la question.

4. Je _____ patience parce que dix personnes

    _____ à la caisse et que j'ai très peu de temps.

5. Finalement, je paie en espèces et la caissière me _____ la monnaie

    (*change*).

D. Une phrase logique. Utilisez un élément de chaque colonne pour former sept phrases logiques. N'oubliez pas d'employer un article, un adjectif possessif ou une préposition s'ils sont nécessaires.

Blanche Neige (*Snow White*)	attendre	bus
un boulanger	descendre	clés (*keys*)
nous	perdre	grand-mère
les passagers	rendre visite	monuments
une personne oublieuse (*forgetful*)	répondre	pain
le Petit Chaperon rouge (*Little Red Riding Hood*)	vendre	prince
un touriste	visiter	professeur

1. _____
2. _____
3. _____
4. _____
5. _____
6. _____
7. _____

E. Répondez. Répondez aux questions suivantes en utilisant un verbe régulier en **-re**.

> MODÈLE: Pourquoi est-ce que vous rendez toujours les devoirs à temps (*on time*)? →
> Je rends mes devoirs à temps parce que je suis une bonne étudiante.

1. Quand est-ce que vous perdez du poids (*to lose weight*)?

   _____

2. Où vend-on des croissants en France?

   _____

3. Qu'est-ce qui (*What*) vous rend heureux?

   _____

4. Qu'est-ce qu'on vend dans le rayon mode femmes d'un grand magasin?

   _____

5. Quand est-ce que vous perdez patience?

   _____

6. À qui rendez-vous visite quand vous avez le temps?

   _____

*S*tructure 25

L'impératif

Giving commands and advice

A. La politesse. Pour être polis (*polite*), les Français utilisent souvent une question ou une phrase déclarative à la place de l'impératif. C'est vrai pour les personnages dans *Le Chemin du retour*. Écoutez et complétez les phrases avec la forme polie.

Vocabulaire utile: acheter du champagne, appeler ta femme, dîner ensemble, prendre un verre, refermer (*to shut*) la porte, signer un autographe, venir dîner

1. BRUNO: _____ avec moi?

   HÉLÈNE: Avec plaisir!

2. SONIA (*à Rachid*): Yasmine et moi, on va se promener un petit peu. _____

   _____ ce soir?

3. LOUISE: Camille! Tu vas bien, petite?

   CAMILLE: Bien. _____ ce soir?

   LOUISE: Oui, d'accord, mais chez moi.

   CAMILLE: D'accord, mais à une condition: Je fais la cuisine.

4. LOUISE (*à Alex*): Alex. _____?

Une bonne bouteille, s'il te plaît.

5. LE BOUCHER: D'accord, mais _____.

Ma femme regarde votre émission le matin.

6. CAMILLE: Grand-mère. Tu vas bien? Tu as l'air en forme!

LOUISE: Oh, oui, un peu fatiguée… _____,

ma chérie.

Maintenant, donnez une phrase à l'impératif pour chaque forme polie.

1. _____

2. _____

3. _____

4. _____

5. _____

6. _____

B. **«Hugues, attention!»** Hugues ne fait jamais attention. Écoutez les suggestions. Répétez chaque phrase et indiquez à quelle image elle correspond.

a.

b.

c.

d.

e.

f.

g.

h.

MODÈLE: Vous entendez: Hugues, attention! N'achète pas trop de tomates!
Vous répétez: Hugues, attention! N'achète pas trop de tomates!
Vous regardez: les images
Vous écrivez (*write*): _c_

1. _____ 2. _____ 3. _____ 4. _____ 5. _____ 6. _____ 7. _____

C. Le fils de M. Vautrin. Paul, le fils de M. Vautrin, est très mal élevé (*poorly behaved*). Donnez des suggestions à l'impératif, selon les indications. Employez la forme **vous** pour M. Vautrin et la forme **tu** pour Paul, et employez aussi un pronom complément d'objet indirect où c'est possible.

MODÈLE: Dites à M. Vautrin de faire attention à son fils. → Faites attention à votre fils!

1. Dites à Paul de manger comme un adulte.

   _____

2. Dites à M. Vautrin de ne pas perdre la tête.

   _____

3. Dites à M. Vautrin de ne pas acheter beaucoup de chocolat à Paul.

   _____

4. Dites à Paul d'écouter toujours son père.

   _____

5. Dites à Paul de répondre gentiment (*nicely*) à son père.

   _____

6. Dites à Paul de ne pas boire de coca.

   _____

7. Dites à M. Vautrin d'être strict avec son fils.

   _____

8. Dites à M. Vautrin d'avoir de la patience.

   _____

D. Suggestions. Employez l'impératif pour faire les suggestions suivantes aux personnes indiquées entre parenthèses. Employez un pronom complément d'objet indirect où c'est possible.

MODÈLE: Dites à votre professeur de rendre les devoirs aux étudiants. (vous) →
Rendez-leur les devoirs.

1. Suggérez (*Suggest*) à vos amis d'aller dîner dans un restaurant. (nous)

   _____

2. Dites à votre petit frère d'être sage. (tu)

   _____

3. Proposez à vos amis de ne pas perdre la tête. (nous)

   _____

4. Demandez à votre mère d'avoir un peu de patience. (tu)

   _____

5. Proposez à vos amis de faire une fête. (nous)

   _____

6. Suggérez à vos camarades de chambre de ne pas être fâché(e)s l'un(e) avec l'autre. (vous)

   _____

7. Proposez à vos amis de revenir à l'université pour une réunion dans 25 ans. (nous)

   _____

8. Demandez à votre ami de ne pas vous téléphoner à minuit. (tu)

   _____

E. Chère Delphine. Vous travaillez comme une sorte d'Ann Landers pour un magazine français. Répondez aux questions des lecteurs (*readers*) en donnant deux conseils différents à l'impératif—un conseil au négatif, un conseil à l'affirmatif. Utilisez deux des verbes suggérés entre parenthèses et employez un pronom complément d'objet indirect dans vos conseils quand c'est possible.

> MODÈLE: Chère Delphine, mon beau-père nous rend visite chaque week-end et cela m'irrite (*annoys me*). Qu'est-ce que je peux faire? (divorcer, mettre, parler à, rester à la maison) →
> a. Ne restez pas à la maison le week-end! b. Parlez-lui; il va comprendre.

1. Chère Delphine, mon professeur de français nous donne toujours trop de travail. Qu'est-ce que je peux faire? (être, étudier, faire vos devoirs, perdre)

   _____

   _____

2. Chère Delphine, mes amis me téléphonent trop souvent à minuit! Qu'est-ce que je peux faire? (changer, demander, essayer d'être, répondre)

   _____

   _____

3. Chère Delphine, les autres élèves de mon école ne m'aiment pas (*don't like me*). Qu'est-ce que je peux faire? (acheter, avoir confiance [*confidence*], chercher, essayer d'être)

   _____

   _____

4. Chère Delphine, je suis végétarien et j'ai peur de ne pas avoir un régime (*diet*) riche en protéines. Qu'est-ce que je peux faire? (boire, être, manger, prendre)

   _____

   _____

5. Chère Delphine, je veux arrêter de fumer (*to stop smoking*). Avez-vous des suggestions pour moi? (acheter, aller, fumer, manger)

   _____

   _____

6. Chère Delphine, j'adore ma femme mais elle ne m'aime plus. Qu'est-ce que je peux faire? (acheter, divorcer, parler, venir)

   _____

   _____

Regards sur la culture

Mettre la table

Les repas en France ont une importance primordiale[a] et traditionnellement les Français aiment bien dresser une belle[b] table quand ils invitent leur famille et leurs amis.

[a]*paramount*   [b]*beautiful*

Un dîner de fête

Un repas de famille

Légende
1. assiette
2. serviette
3. fourchette à poisson
4. fourchette
5. couteau
6. couteau à poisson
7. cuillère
8. beurrier
9. verre à eau
10. verre à vin rouge
11. verre à vin blanc

Service de table. Regardez les deux couverts (*table settings*) ci-dessus et utilisez la liste de termes pour répondre aux questions suivantes.

1. Quelles différences y a-t-il entre le couvert pour les invités et le couvert pour la famille?

   _____

2. Qu'est-ce qu'on utilise pour manger de la soupe?

   _____

3. Qu'est-ce qu'on met dans le beurrier?

   _____

4. À votre avis, pourquoi met-on deux verres à vin pour le dîner de fête?

   _____

5. Pour quel aliment met-on une fourchette et un couteau particuliers quand on a des invités?

   _____

Structure 26

Quelques verbes comme *sortir*

Talking about more everyday activities

A. Prononciation. Listen and repeat the conjugation of **sortir**, trying to pronounce each form as much like the speaker as possible.

je sors	nous sortons
tu sors	vous sortez
il sort	ils sortent
elle sort	elles sortent
on sort	

The verbs **sortir, partir, dormir, servir, mentir,** and **sentir** all form their present tense in a similar way, and therefore the pronunciation rules for **sortir** also apply to the others. For each verb, notice how the singular forms all sound the same. Listen and repeat.

je pars, tu pars, il part, elle part, on part
je dors, tu dors, il dort, elle dort, on dort

Notice too that you can differentiate between the singular **il/elle** forms and the plural **ils/elles** forms by listening for the final sound in the verb. Even though the endings of both types are silent, the singular stem ends with one sound, and the plural has a different final sound. Listen and repeat.

il sert	ils servent
elle ment	elles mentent
il sent	ils sentent

Now listen to each sentence, and repeat it aloud. Then indicate whether the subject is one person or more than one person or whether it is impossible to say (**impossible à dire**). You will hear each sentence twice.

	1.	2.	3.	4.	5.	6.
une personne	☐	☐	☐	☐	☐	☐
2+ personnes	☐	☐	☐	☐	☐	☐
impossible à dire	☐	☐	☐	☐	☐	☐

B. En vacances à la campagne. (*On vacation in the country.*) Écoutez et complétez les phrases avec le verbe qui manque (*is missing*).

1. Mon amie Muriel _____ souvent avec ses amis le soir (*at night*).

2. Pour cette raison, elle ne _____ jamais assez.

3. Je lui dis (*say*), « _____ en vacances à la campagne ensemble.»

4. Elle accepte et nous _____ la ville (*city*) à 8 h le lendemain matin (*the next morning*).

5. En vacances, nous _____ beaucoup.

6. J'adore la campagne—ça _____ bon.

C. **C'est loin, tout ça.** Dans l'Épisode 8, Camille donne une photo à sa grand-mère. Complétez chacune (*each one*) des phrases suivantes avec la forme correcte d'un des verbes de la liste.

Verbes: dormir, mentir, partir, servir, sortir

1. Louise, la grand-mère de Camille, _____ dans sa chaise.

2. Camille _____ du café à sa grand-mère.

3. Camille _____ une photo de son sac à main.

4. Louise et Mado ne _____ pas à Camille, mais elles n'aiment pas du tout parler de la guerre.

5. Camille _____ après une dispute avec Mado.

D. **Les verbes comme *sortir*.** Formez des phrases complètes avec les éléments donnés. Faites tous les changements nécessaires.

Des enfants paresseux (*lazy*)

1. nos enfants / dormir / souvent / jusqu'à (*until*) midi

   _____

2. oh là là, les enfants! / vous / dormir / trop

   _____

3. les élèves / partir / pour l'école / à 10 h du matin

   _____

4. ils / mentir / quand / ils / être / en retard

   _____

5. Frédéric, / mentir / tu / parce que / tu / avoir honte / ?

   _____

Voyage à Bruxelles

6. mon mari et moi / ne pas sortir / ce soir

   _____

7. nous / partir / demain / à Bruxelles / et / nous / avoir besoin / dormir

   _____

8. vous / partir / déjà / ?

   _____

Dans un café

9. tu / sentir / le café / ?

   _____

10. il / sentir bon / n'est-ce pas / ?

   _____

11. pardon, mademoiselle. / servir / vous / des sandwichs / dans ce café / ?

_____

12. le serveur / sortir / de la cuisine / avec / deux tasses de café

_____

E. Qu'est-ce qu'ils vont faire? Donnez les suggestions indiquées aux personnes suivantes. Employez l'impératif en tenant compte (*considering*) du sujet suggéré entre parenthèses.

MODÈLE: Dites à votre frère de partir à l'heure. (tu) →
Pars à l'heure!

1. Proposez à vos amis de sortir ce soir. (nous)

_____

2. Dites à votre ami de sortir un stylo. (tu)

_____

3. Dites à vos parents de bien dormir. (vous)

_____

4. Dites à votre père de servir les œufs. (tu)

_____

5. Proposez aux autres étudiants de mentir au professeur. (nous)

_____

6. Dites à votre amie de ne pas quitter son mari. (tu)

_____

7. Demandez à votre ami(e) de sentir les roses. (tu)

_____

8. Dites à vos amis de partir lundi. (vous)

_____

F. Quel verbe? Complétez les phrases suivantes avec la forme de **partir**, **sortir** ou **quitter** qui convient.

1. Quand est-ce que ses parents _____ pour l'Espagne?

2. Elvis vient de _____ le bâtiment.

3. Tu _____ en boîte avec Jean-Pierre ce soir?

4. À quelle heure_____-tu pour l'aéroport?

5. Chantal _____ Paris et va à Londres.

6. _____ (*Let's go out*) au cinéma samedi.

G. Répondez. Répondez à chaque question avec une phrase complète.

1. Sortez-vous souvent le week-end? Où et avec qui?

   _____

   _____

2. Est-il acceptable de mentir parfois? Quand mentez-vous?

   _____

   _____

3. À quelle heure partez-vous pour l'université le mercredi?

   _____

   _____

4. À quelle heure quittez-vous l'université pour rentrer chez vous?

   _____

   _____

5. Qu'est-ce que vous servez quand vous invitez vos amis à dîner chez vous?

   _____

   _____

6. Combien d'heures dormez-vous par nuit (*night*)? Est-ce assez?

   _____

   _____

𝒱isionnement 2

Après le visionnement. Pensez à l'information culturelle dans ce chapitre et dans l'Épisode 8 du film. Ensuite répondez aux questions à propos de la photo à la page 174.

1. Qui parle probablement en ce moment? Mado? Camille? Expliquez (*Explain*).

   _____

   _____

2. Quels sont les sentiments des deux femmes en ce moment? Sont-elles heureuses? inquiètes? fatiguées? furieuses?

   _____

   _____

3. Comment est-ce que vous devinez (*guess*) leurs sentiments? Par leurs vêtements? leurs expressions? leurs gestes (*gestures*)?

   _____

   _____

4. Quand Camille dit «Tu perds la tête!», qu'est-ce qu'elle veut dire? Que sa mère est vraiment folle? Qu'elle prend cette situation trop au sérieux? Autre chose?

   _____

   _____

5. Qu'est-ce qu'une discussion animée peut indiquer en France?

   _____

   _____

À écrire

Un repas destiné à impressionner

Vous voulez préparer un repas pour impressionner une personne importante (votre chef [*boss*], votre professeur, les parents de votre ami[e]). Vous allez décrire (*describe*) votre plan et vos préparations.

Première étape. À quelles questions allez-vous répondre dans votre paragraphe? Lisez les questions suivantes et ajoutez d'autres questions si vous voulez. Numérotez-les (*Number them*) pour indiquer l'ordre de vos réponses.

_____ Quels plats allez-vous servir?

_____ Quand est-ce que vous allez acheter les ingrédients?

_____ Dans quels magasins allez-vous faire vos achats (*purchases*)?

_____ Quand est-ce que vous allez commencer la préparation du repas?

_____ _____

_____ _____

Deuxième étape. Quels mots de vocabulaire vont être utiles pour répondre à chaque question? Notez ces mots dans le tableau suivant.

PLATS/INGRÉDIENTS	MAGASINS	PRÉPARATIONS	AUTRES MOTS

Troisième étape. Écrivez votre paragraphe en utilisant vos préparations des autres étapes.

MODÈLE: J'invite mon chef à dîner chez moi. Je vais servir…

_____

_____

_____

_____

_____

_____

_____

Quatrième étape. Maintenant, regardez votre paragraphe et cherchez des fautes d'orthographe (*spelling errors*), de ponctuation, de grammaire (par exemple, les accords sujet-verbe et substantif-adjectif, l'usage des articles) et de vocabulaire. S'il y a des fautes, corrigez-les.

Dossier culturel

A. **Jacques Prévert.** Utilisez des ressources imprimées (*printed*) ou des liens sur **www.mhhe.com/debuts** pour écrire une biographie de Jacques Prévert en cinq à huit phrases. Relevez (*Highlight*) les événements importants de sa vie et de sa carrière (*career*).

B. **Un poème de Jacques Prévert.** Présentez un des poèmes de Jacques Prévert et expliquez-le (*analyze it*). Parlez du thème, du ton, des images et du symbolisme. Est-ce qu'il y a des exemples d'allitération, d'onomatopée, de répétition? Quel est l'effet de ces techniques poétiques? Quelle est votre réaction à ce poème?

C. **Des vins français.** Faites-vous œnologue (spécialiste des vins)! Utilisez des ressources imprimées ou des liens sur **www.mhhe.com/debuts** pour faire des recherches sur les vins français. D'abord, cherchez et imprimez une «carte (*map*) des vins de France». Ensuite…   1. trouvez la définition des mots suivants: appellation, cépage, vignoble.   2. choisissez deux régions de France et sélectionnez deux appellations pour chaque région.   3. donnez deux renseignements (*pieces of information*) sur chaque appellation.   4. identifiez trois régions qui produisent du vin en Amérique du Nord.

Chapitre **9**

Inquiétudes

Vocabulaire en contexte

*L*es parties du corps

A. C'est quelle partie? Regardez la partie du corps sur l'image et écoutez la question. Dites (*Say*) **oui** ou **non** et identifiez la partie du corps correcte.

MODÈLE A:	Vous voyez (*You see*):	un bras
	Vous entendez (*You hear*):	C'est un bras?
	Vous dites:	Oui, c'est un bras.
	Vous entendez:	Oui, c'est un bras.
MODÈLE B:	Vous voyez:	un pied
	Vous entendez:	C'est une jambe?
	Vous dites:	Non, ce n'est pas une jambe. C'est un pied.
	Vous entendez:	Non, ce n'est pas une jambe. C'est un pied.

1. ...   2. ...   3. ...   4. ...   5. ...
6. ...   7. ...   8. ...   9. ...

B. Combien? Écoutez les questions et dites combien de ces différentes parties du corps nous avons chacun (*we each have*).

MODÈLE: Vous entendez: Nous avons combien de têtes?
Vous dites: Nous avons une tête.
Vous entendez: Nous avons une tête.

1. … 2. … 3. … 4. … 5. … 6. … 7. … 8. …

C. Quelle partie? Complétez la phrase avec une des parties du corps mentionnées dans la liste suivante (*following*). *Attention*: Utilisez l'article défini correct.

Vocabulaire utile: bouche, cerveau, cheveux, dents, muscles, pied, ventre, yeux

1. _____ sont verts, bleus, noirs ou marron.

2. _____ sont en général blonds, bruns, noirs, ou roux (*red*).

3. Faire du sport, c'est bon pour _____.

4. On porte une chaussette sur _____.

5. L'estomac est dans _____.

6. Dans la bouche, il y a _____.

7. Nous pensons avec _____.

D. Associations. Écrivez la partie du corps que (*that*) vous associez avec les mots donnés.

MODÈLE: l'écriture, deux, la guitare, manger, montrer → une main

1. les dents, parler, manger, boire, rouge _____

2. la musique, écouter, à côté du visage, deux _____

3. les genoux, faire du jogging, une promenade, un pantalon _____

4. bleu ou marron, sur le visage, deux, regarder _____

5. amour, dans la poitrine, rouge, crise cardiaque _____

E. Un monstre! (*A monster!*)
Écoutez la description d'un monstre, et faites son portrait.

$\mathcal{L}$a santé

A. C'est quoi? Employez le vocabulaire utile pour compléter chaque phrase.

Vocabulaire utile: comprimés, fièvre, grippe, hôpital, infirmière, médecin, médicament, mouchoirs, nez qui coule, ordonnance

Marcel a le _____[1] et des douleurs partout.[a] Il utilise dix

_____[2] à l'heure[b] et il prend des _____[3]

d'aspirine. Il a la _____.[4]

Stephanie est à l'_____[5] parce qu'elle est très malade. Une

_____[6] s'occupe[c] d'elle quand les médecins ne sont pas là. Quand

Stéphanie quitte l'hôpital, son _____[7] va lui donner une

_____[8] pour un _____.[9]

[a]*all over* [b]*à... per hour* [c]*takes care*

B. Conseils. (*Advice.*) Écoutez le problème médical et donnez le conseil logique.

> MODÈLE: Vous entendez: J'ai le nez qui coule.
> Vous lisez (*read*): Allez à l'hôpital.   Achetez des mouchoirs.
> Vous dites: Achetez des mouchoirs.
> Vous entendez: Achetez des mouchoirs.

1. Achetez des pastilles.   Parlez beaucoup.
2. Mangez des gâteaux (*cake*).   Faites du sport.
3. Prenez de l'aspirine.   Allez chez un psychiatre.
4. Évitez (*Avoid*) le stress.   Mangez des hamburgers.
5. Mangez des biscuits secs (*crackers*).   Mangez de la pizza.
6. Mangez de la confiture.   Mangez des fruits et des légumes.

C. Et vous? Répondez aux questions en faisant des phrases complètes.

Vocabulaire utile: avoir mal à, des douleurs, être en bonne forme, la fièvre, un médecin, un médicament, une ordonnance, un rhume, tomber malade, tousser

1. Est-ce que vous êtes souvent malade? Qu'est-ce que vous avez? Quels sont les symptômes?

   _____

   _____

2. Quand vous avez une grippe, que faites-vous pour guérir (*to get well*)?

   _____

   _____

3. Est-ce que vous aimez aller chez le médecin? Pourquoi ou pourquoi pas?

   _____

   _____

4. Est-il important d'être en bonne santé? Que faites-vous pour être en bonne forme?

   _____

   _____

Visionnement 1

A. Que savez-vous? Complétez chaque phrase avec le nom d'une des femmes du film: Hélène, Sonia, Martine, Louise, Mado.

1. _____ travaille à Canal 7 comme productrice.

2. _____ est une amie de Bruno. Elle vient de Montréal.

3. _____ n'aime pas Paris parce qu'elle a froid et parce qu'elle est loin de sa famille à Marseille.

4. _____ est malade.

5. _____ fait un reportage sur Camille parce que c'est une vedette (*star*) de la télévision française.

6. _____ ment à Camille à propos de la santé de Louise.

7. _____ propose un voyage dans les Cévennes à Camille.

B. À propos des personnages

Première étape. Selon votre impression du caractère d'Hélène, complétez les phrases suivantes avec une des options entre parenthèses.

1. Hélène parle _____ (une, deux) langue(s).

2. Elle pense que _____ (l'amitié [*friendship*], le travail) est la chose la plus importante (*the most important thing*).

3. Hélène adore la ville de _____ (Montréal, Toronto).

4. Elle a fait des études (*studied*) en _____ (communication interculturelle, histoire canadienne).

5. Hélène a commencé (*began*) son travail de journaliste _____ (à Radio Canada, au journal *Le Devoir*).

6. Hélène aime voyager _____ (partout, au Canada).

7. (Bruno, Rachid) _____ et Hélène sont de bons amis.

8. Hélène veut _____ (partager son pays avec le monde [*world*], devenir professeur).

 Deuxième étape. Maintenant, écoutez ce texte sur la vie (*life*) d'Hélène.

À Montréal, les amis d'Hélène Thibaut savent que[1] c'est une femme indépendante. Elle a de l'ambition, mais elle place toujours l'amitié avant le travail. Elle prend des décisions intelligentes pour sa carrière, mais sa liberté est très, très importante pour elle.

Son père est québécois et parle français, et sa mère vient de Toronto et est d'origine anglophone. Hélène est parfaitement bilingue.[2] Elle adore Montréal où on parle français, mais elle aime beaucoup rendre visite à la

[1]savent... *know that* [2]parfaitement... *completely bilingual*

famille de sa mère et parler anglais avec eux. C'est dans la famille de sa mère qu'elle apprend l'importance de la communication interculturelle. À cette époque,[3] elle pense devenir professeur et elle fait des études en communication interculturelle. Mais après quelques années d'études, elle change d'opinion. Elle décide que le journalisme va lui donner l'occasion de voyager et de mettre en pratique cette communication si importante. Et les voyages, pour elle, c'est la liberté.

Elle commence son travail de journaliste à Radio Canada, où elle voyage pour des reportages sur la politique, la culture et les sports. Ses supérieurs comprennent vite[4] qu'elle a beaucoup de talent pour les reportages à l'étranger,[5] et elle commence à faire des documentaires filmés sur différents pays du monde. C'est fantastique! Elle voyage partout.

Mais sa destination préférée est la France. Elle découvre[6] la culture française et des Français, et elle rencontre[7] des journalistes comme elle. Quand elle fait la connaissance de Bruno Gall, ils deviennent vite de bons amis. Chaque fois qu'elle vient en France, ils sortent ensemble et ils s'amusent.[8] Mais Bruno n'est pas l'amour de sa vie.[9] Pour l'instant, elle s'intéresse[10] au travail et elle adore montrer le monde aux Québécois et parler un peu de son cher pays au reste du monde. Et, bien sûr, on profite ainsi[11] de son joli sourire[12] et de son rire contagieux.[13]

[3]À... *At that time* [4]*quickly* [5]à... *abroad* [6]*discovers* [7]*meets* [8]*have a good time* [9]amour... *love of her life* [10]*is interested* [11]*thus* [12]*smile* [13]rire... *contagious laugh*

Troisième étape. Maintenant, retournez à vos réponses dans la première étape et corrigez-les (*correct them*), si nécessaire, en vous basant sur le texte.

C. Vous avez compris? Écoutez les descriptions d'Hélène et décidez si elles sont vraies ou fausses ou si c'est impossible à dire.

	VRAI	FAUX	IMPOSSIBLE À DIRE
1.	☐	☐	☐
2.	☐	☐	☐
3.	☐	☐	☐
4.	☐	☐	☐
5.	☐	☐	☐
6.	☐	☐	☐

Prononciation et orthographe

*L*a voyelle *e instable* /ə/

The vowel sound /ə/ is called *schwa* in English. In French, it is referred to as the **e instable**,* since it may not be pronounced in certain circumstances. When pronounced, the **e instable** sounds somewhat like the **e** in the English word *her*. It occurs in nine specific one-syllable words ending in **e** and in numerous other words. Listen and repeat.

ce	de	je	le	me	ne	que	se	te
appeler		revenir		table				

---

*Other common names for this vowel are **e caduc** (*which falls off*) or **e muet** (*mute e*). This program uses the term **e instable** because it seems to define most clearly the changeable nature of the vowel.

Notice in the preceding examples that the /ə/ sound is spelled as **e**. There are also two common exceptions in which different letters are pronounced as /ə/.

faisons /fəzɔ̃/   monsieur /məsjø/

Two basic and simple explanations for when the **e instable** can be "dropped" are useful for most of your communication at this point.

1. The first explanation is known as the "law of three consonants" (**la loi des trois consonnes**). An **e instable** may be dropped in speech as long as a series of three sounded consonants does not result. For example, in the sentence **Vous vous appelez Rachid?**, the **e instable** may be dropped in **appelez**, because a series of only two sounded consonants is produced. Listen and repeat.

   Vous vous **appelez** Rachid?
   Acceptable: /aple/

   In the word **appartement**, however, the **e instable** may not be deleted, because in doing so, a series of three consonants (/...ʀtm.../) would be produced. Listen and repeat.

   appar**te**ment
   Not acceptable: /apaʀtmã/
   Acceptable: /apaʀtəmã/

2. A number of fixed expressions always drop one **e instable**. Listen and repeat.

je le = /jəl/ or /jlə/	je ne me = /jənmə/
je me = /jəm/ or /jmə/	ne me = /nəm/
je ne = /jən/ or /jnə/	ne te = /nət/
je te = /jət/ or /jtə/	de ne = /dən/
je ne te = /jəntə/	parce que = /paʀskə/

Écoutez et répétez. The letter **e instable** is highlighted in each of the following sentences. First, listen to each sentence and put a slash through each **e instable** that is dropped (not pronounced). Then listen again. Repeat the sentence aloud, imitating the pronunciation of the speaker as closely as possible.

1. J**e** t**e** dis «bonjour» quand tu es près d**e** moi.

2. Quand il fait froid, on s**e** trouve d**e**vant l**e** feu.

3. Est-c**e** qu**e** tu veux travailler maint**e**nant ou dans l'avenir?

4. J**e** t**e** dis, j**e** n**e** suis plus une enfant.

5. Dans notr**e** appartement, la tabl**e** est d**e**vant la cheminée.

6. J**e** n**e** m**e** souviens plus d**e** tous les p**e**tits détails du r**e**portage d**e** Catherine.

7. D'habitude, j**e** m**e** lève à six heures et j**e** m**e** couche vers minuit.

8. J**e** m**e** suis fâchée! Ma robe bleue est perdue.

9. N**e** m**e** parle pas sur c**e** ton!

10. Nous r**e**gardons l**e** film *Le Chemin du retour*.

Nom _____ Date _____ Cours _____

Structure 27

$\mathcal{L}$e complément d'objet direct

Avoiding repetition

A. Dictée. Écoutez les dialogues suivants et écrivez les pronoms compléments d'objet direct que vous entendez.

1. CAMILLE: Maman, je te présente Rachid, un copain.[a] Rachid, c'est Mado.

   RACHID: Bonsoir, madame.

   MADO: Je _____ invite à dîner, mes enfants! J'apporte tout ce qu'il faut[b] chez toi dans une demi-heure… !

   [a]*friend* [b]*J'apporte… I'll bring everything we need*

2. MADO: Une coupe de champagne?

   CAMILLE: Avec plaisir.

   RACHID: Non, merci… enfin° pas ce soir. On _____ attend… donc euh…

   °*at least*

3. CAMILLE: Tu _____ racontes[a] son voyage dans les Cévennes? S'il te plaît?

   LOUISE: Un autre jour. Je te _____ promets!… Camille… Je _____ remercie[b] pour la photo.

   [a]*Tu… Will you tell me about* [b]*thank*

4. LOUISE: Oh, Chérie!

   CAMILLE: Grand-mère, à quoi tu joues?°… Tu veux _____ faire peur?

   °*à… what are you up to?*

5. MÉDECIN: Quelqu'un doit rester près d'elle. Au cas où°… appelez-_____.

   °*Au… If it comes to that*

B. De quoi est-ce qu'on parle? Écoutez les phrases et choisissez le mot qui (*choose the word that*) peut être le complément d'objet direct. Refaites la phrase avec le mot que vous choisissez.

MODÈLE: Vous lisez: la table   le film   les enfants
Vous entendez: Je le regarde.
Vous dites: Je regarde le film.
Vous entendez: Je regarde le film.

1. le chocolat   les cours   la cravate
2. le café   ces chaussures   nos amis
3. cette chaise   ce crayon   ces haricots verts
4. le dîner   l'école   les légumes
5. ce pull   cette veste   ces vêtements

C. **Éviter la répétition.** Récrivez (*Rewrite*) la deuxième (*second*) phrase avec un pronom complément d'objet direct pour éviter la répétition.

> MODÈLE: La voiture rouge? Nous achetons la voiture rouge. → Nous l'achetons.

1. Le chocolat? Nous adorons le chocolat. _____

2. Le saumon? Elle aime le saumon. _____

3. Les petits pois? L'enfant déteste les petits pois. _____

4. Le tee-shirt rose? Elle porte le tee-shirt rose. _____

5. Les cravates? Tu achètes les cravates. _____

6. Madeleine? Vous attendez Madeleine? _____

D. **M. et Mme Dufour.** M. et Mme Dufour ont des opinions opposées à propos de tout (*about everything*). Que disent-ils quand ils répondent l'un(e) à l'autre? Employez un pronom sujet et un pronom complément d'objet direct pour éviter la répétition. *Attention*: Pour une réponse affirmative à une phrase négative, on dit **si**.

> MODÈLE: M. DUFOUR: Maryse aime faire le ménage. →
> MME DUFOUR: Mais non! Elle n'aime pas le faire.

> MODÈLE: MME DUFOUR: Tu ne m'aimes pas. →
> M. DUFOUR: Mais si! Je t'aime beaucoup.

1. M. DUFOUR: Les enfants aiment étudier l'espagnol.

   MME DUFOUR: _____

2. M. DUFOUR: Les enfants ne vont pas regarder la télévision.

   MME DUFOUR: _____

3. M. DUFOUR: Jules déteste préparer les repas.

   MME DUFOUR: _____

4. MME DUFOUR: Tu vas m'inviter à manger au restaurant, n'est-ce pas?

   M. DUFOUR: _____

5. M. DUFOUR: Tu ne vas pas m'attendre pour manger?

   MME DUFOUR: _____

E. **Les Dufour au restaurant.** Mme et M. Dufour sont au restaurant avec leurs enfants. Ils ne sont pas du tout d'accord. Quand Mme Dufour parle aux enfants, M. Dufour dit le contraire (*says the opposite*). Que dit M. Dufour? Employez un pronom complément d'objet direct pour éviter la répétition.

> MODÈLE: MME DUFOUR: Regardez la carte. → M. DUFOUR: Ne la regardez pas.

1. MME DUFOUR: Mettez vos serviettes sur les genoux.

   M. DUFOUR: _____

2. MME DUFOUR: Écoutez la serveuse.

   M. DUFOUR: _____

3. MME DUFOUR: Ne nous attendez pas.

   M. DUFOUR: _____

4. MME DUFOUR: Jules! Prends ce café au lait.

   M. DUFOUR: _____

5. MME DUFOUR: Jules! Ne bois pas ce vin.

   M. DUFOUR: _____

6. MME DUFOUR: Permettez-nous de manger en silence.

   M. DUFOUR: _____

7. MME DUFOUR: Maryse! Cherche le cuisinier (*chef*).

   M. DUFOUR: _____

8. MME DUFOUR: Ne quittez pas le restaurant!

   M. DUFOUR: _____

F. **Une lettre.** Voilà une lettre de Chantal à sa grand-mère. Il y a trop de répétitions. Récrivez la lettre en employant des pronoms.

Pronoms sujets: je, tu, il, elle, nous, vous, ils, elles

Pronoms compléments d'objet direct: me, te, le, la, nous, vous, les

Chère grand-mère,
Merci pour la calculatrice! La calculatrice est très utile. J'aime beaucoup la calculatrice! J'ai toujours la calculatrice avec moi.
   Ma camarade de chambre, Simone, étudie la musique et Simone chante très bien. J'adore Simone et j'aime écouter Simone.
   Nous avons beaucoup d'amis. Nous invitons souvent nos amis à dîner chez nous. Parfois, Simone fait la cuisine, et parfois je fais la cuisine.
   Nos amis sont sympas. Nos amis étudient à l'université. Paule et Michel font toujours leurs devoirs mais Georges et Maryse ne font jamais les devoirs. Moi, je fais les devoirs chaque jour.
Gros bisous,°
Chantal

°Gros... *Big kisses*

MODÈLE: Chère grand-mère,
            Merci pour la calculatrice! Elle est très utile. ...

_____

_____

_____

_____

_____

_____

_____

_____

_____

Regards sur la culture

*L*es dangers du soleil

La Ligue Nationale contre le Cancer informe le public sur les dangers du soleil,[a] notamment le cancer de la peau.[b]

[a]*sun* [b]*skin*

- **Fait du bien au moral**

- **Est nécessaire à la vie à condition de savoir en éviter les dangers[a]**

- **Coups de soleil[b]: brûlure cutanée**

- **Insolation (déshydratation, céphalées, vomissements)**

- **Vieillissement[c] prématuré de la peau**

- **Cancers de la peau**

CONSEILS

Evitez les expositions brutales, les coups de soleil, l'exposition entre 12 heures et 16 heures (heures légales) et soyez très vigilant vis-à-vis de l'exposition des enfants.

Portez des tee-shirts, des chapeaux ou des casquettes[d] et des lunettes de soleil pour protéger les yeux.

Mettre régulièrement des crèmes-écran[e] avec un bon indice de protection[f] (indice de 15 à 20).

N'oubliez jamais qu'au soleil il fait chaud[g] et qu'il faut[h] boire souvent pour éviter de se déshydrater (en particulier chez les enfants).

---

[a]savoir... *to know how to avoid its dangers* [b]Coups... *Sunburns* [c]*Aging* [d]*caps* [e]*sunscreens* [f]indice... *sun protection factor* [g]il... *it's hot* [h]il... *one must*

Conseils pour la santé. Lisez la brochure et répondez aux questions suivantes.

1. Entre quelle heure et quelle heure doit-on éviter (*should one avoid*) le soleil?

   _____

2. Qu'est-ce qu'on doit porter pour protéger les yeux?

   _____

3. Qu'est-ce qu'on doit porter pour protéger le corps?

   _____

4. Quel est l'indice de protection minimum pour une bonne crème-écran?

   _____

5. Qu'est-ce qu'il faut faire pour éviter de se déshydrater?

   _____

Structure 28

Les verbes pronominaux
Talking about daily routines

A. Et toi? Et lui? Écoutez le verbe et le nouveau sujet. Ensuite (*Then*), conjuguez le verbe avec le nouveau sujet.

MODÈLE: Vous entendez: Tu te dépêches. / Robert
Vous dites: Robert se dépêche.
Vous entendez: Robert se dépêche.

1. ... 2. ... 3. ... 4. ... 5. ...
6. ... 7. ... 8. ... 9. ... 10. ...

B. À compléter. Complétez les phrases suivantes avec la forme correcte des verbes de la liste.

Vocabulaire utile: s'amuser, s'appeler, se brosser, se casser, se coucher, se dépêcher, s'entendre, s'habiller, s'inquiéter, se lever, se passer, se promener, se rappeler, se rendre compte, se souvenir, se téléphoner, se tromper

1. Maman est fatiguée. Elle _____ toujours après minuit et elle

   _____ à six heures du matin.

2. Jérôme a beaucoup d'amis. Il _____ bien avec tout le monde.

3. Moi, mon nom, c'est Anne. Et toi? Comment est-ce que tu _____?

4. La famille Calmette _____ au Jardin des Plantes chaque samedi.

5. Tu _____ les dents sept fois par jour? C'est beaucoup!

6. Ma grand-mère _____ de mon anniversaire chaque année. Elle m'achète un nouveau livre ou un disque.

Vocabulaire utile: s'amuser, s'appeler, se brosser, se casser, se coucher, se dépêcher, s'entendre, s'habiller, s'inquiéter, se lever, se passer, se promener, se rappeler, se rendre compte, se souvenir, se téléphoner, se tromper

7. Nous adorons Londres! Nous _____ beaucoup ici! Nous travaillons trop chez nous. Nous voulons rester (*stay*) ici!

8. S'il _____ le bras, le médecin va lui mettre un plâtre (*cast*).

9. Vous _____ en maillot de bain pour aller manger dans un restaurant élégant? Mais c'est bizarre!

10. Tu penses que 25 + 25 = 60? Tu _____! 25 + 25 = 50!

11. Il est après minuit et ma fille n'est pas encore à la maison. Je _____.

12. Je ne comprends pas ce qui (*what*) _____ ici. Peux-tu me l'expliquer?

13. Ma sœur habite au Sénégal et j'habite à New York, mais nous _____ tous les week-ends.

14. Est-ce que tu _____ le numéro de téléphone de David? Je l'oublie toujours!

15. Pourquoi est-ce que tu _____? Nous sommes en avance.

C. Les conseils de Béatrice. Béatrice a des conseils pour tout le monde. Mettez ses conseils à l'impératif.

> MODÈLES: Son petit frère ne se peigne pas. →
> BÉATRICE: Peigne-toi!
>
> Ses amis s'endorment en classe. →
> BÉATRICE: Ne vous endormez pas en classe!

1. Son amie Paule se maquille en classe.

    BÉATRICE: _____

2. Ses petites sœurs se disputent à table au dîner.

    BÉATRICE: _____

3. Sa sœur Véronique ne se lave pas les mains.

    BÉATRICE: _____

4. Son père ne se rase pas le samedi.

    BÉATRICE: _____

5. Au cinéma, ses parents ne regardent pas le film et s'embrassent beaucoup.

    BÉATRICE: _____

6. Son ami Alain arrive tard à l'école parce qu'il ne se dépêche pas le matin.

    BÉATRICE: _____

7. Le professeur se fâche.

    BÉATRICE: _____

8. Ses cousins ne se rappellent pas l'anniversaire de Béatrice.

   BÉATRICE: _____

9. Ses professeurs ne se parlent jamais l'un à l'autre.

   BÉATRICE: _____

D. Prédictions. Lisez la situation et écrivez une prédiction: Qu'est-ce qui va se passer?

MODÈLE: Les petits frères de Daniel cassent son vélo. →
Prédiction: Il va se fâcher.

1. Papa est très fatigué.

   Prédiction: _____

2. Céline vient de se lever. Elle a cours dans dix minutes.

   Prédiction: _____

3. Patrick et Marie-Claude s'aiment beaucoup et ils veulent avoir des enfants ensemble.

   Prédiction: _____

4. Jules et Thérèse sont fâchés l'un contre l'autre.

   Prédiction: _____

E. Et demain? Serge fait la même chose tous les jours (*every day*). Il fait certaines choses aujourd'hui. Qu'est-ce qu'il va faire demain (*tomorrow*)?

MODÈLE: Vous entendez: Serge se réveille aujourd'hui à huit heures.
Vous dites: Il va se réveiller demain à huit heures.
Vous entendez: Il va se réveiller demain à huit heures.

1. …   2. …   3. …   4. …   5. …

F. L'ordre des choses. Racontez (*Tell about*) un matin typique. Mettez vos activités matinales en ordre. Écrivez huit phrases complètes et utilisez des parties du corps avec certains verbes.

Verbes utiles: se brosser, s'habiller, se laver, se lever, manger le petit déjeuner, se maquiller, se peigner, se raser, se réveiller

_____

_____

_____

_____

_____

_____

_____

_____

_____

G. Et vous? Répondez aux questions suivantes en faisant des phrases complètes.

1. Est-ce que vous vous fâchez souvent ou rarement? Quand et pourquoi?

   _____

   _____

2. Avec quelle sorte de personne est-ce que vous vous entendez bien? Avec quelle sorte de personne est-ce que vous vous entendez mal?

   _____

   _____

3. À quoi est-ce que vous vous intéressez? Pourquoi?

   _____

   _____

4. Est-ce que vous vous inquiétez souvent ou rarement? Quand et pourquoi?

   _____

   _____

5. Est-ce que vous vous rendez compte de vos défauts (*faults*)? Est-ce que vous vous rendez compte de vos qualités (*good qualities*)? Donnez des exemples.

   _____

   _____

Structure 29

Le verbe *devoir*

Talking about duties and obligations

A. Prononciation. The forms of the verb **devoir** are irregular. Listen and repeat, trying to pronounce each form as much like the speaker as possible.

je dois	nous devons
tu dois	vous devez
il doit	ils doivent
elle doit	elles doivent
on doit	

Notice that the singular forms all sound the same: /dwa/. You must pay attention to the pronoun, since it clarifies which person the speaker is talking about. Listen and repeat.

je dois   tu dois   il doit   elle doit   on doit

Secondly, you can differentiate between the singular **il/elle** forms and the plural **ils/elles** forms by listening for the final sound in the verb. The singular form ends with a vowel sound; the plural has a final consonant sound. Listen and repeat.

        elle doit   elles doivent

Finally, notice that the **e** in the **nous** and **vous** forms is pronounced as a schwa sound (the **e** instable /ə/—see **Prononciation et orthographe** in this chapter).

        nous d**e**vons   vous d**e**vez

Now listen to each sentence and repeat it aloud. Then circle the verb form you hear. Pay attention to both the pronoun and the verb. You will hear each sentence twice.

1.	dois	doit	3.	devons	doivent	5.	doit	doivent
2.	dois	doit	4.	devez	devons	6.	dois	doit

B. Je dois. Écoutez et transformez chaque phrase avec le pronom sujet suggéré.

    MODÈLE: Vous entendez: Elle doit venir.
                Vous lisez: tu
                Vous dites: Tu dois venir.
                Vous entendez: Tu dois venir.

    1. je   2. elle   3. nous   4. vous   5. ils   6. tu

C. Un anniversaire! Catherine organise une fête pour l'anniversaire de son petit frère. Complétez sa liste de projets avec les formes correctes du verbe **devoir**.

1. Je _____ mettre la table.

2. Mes cousins _____ faire un dessert.

3. Tu _____ acheter du vin.

4. Papa et maman _____ faire les courses.

5. Papa _____ aller au marché.

6. Nous _____ inviter nos cousins.

7. Et vous? Qu'est-ce que vous _____ faire?

D. Que faire? Écoutez chaque phrase et faites une deuxième phrase avec le pronom sujet donné + **devoir** + l'expression logique entre parenthèses.

    MODÈLE: Vous entendez: Lise a faim.
                Vous lisez: elle (manger, dormir)
                Vous dites: Elle doit manger.
                Vous entendez: Elle doit manger.

1. il (sortir, dormir)
2. nous (faire du sport, boire de l'eau)
3. tu (mettre un short, mettre un manteau)
4. vous (se dépêcher, se coucher)
5. ils (mettre un pull, mettre un short et un tee-shirt)
6. nous (faire une promenade, rester à la maison)
7. ils (aller au cinéma, aller à la bibliothèque)
8. je (jouer avec des amis, aller chez le médecin)
9. vous (prendre de l'aspirine, manger une pizza)
10. je (me reposer, aller danser)

E. Des dettes. (*Debts*.) Faites des phrases avec le verbe **devoir** et les éléments donnés.

MODÈLE: Sylvie / lui / 50 € → Sylvie lui doit 50 €.

1. tu / nous / un service _____

2. Simone / nous / de l'argent _____

3. vous / me / beaucoup _____

4. je / mon succès / à mes parents _____

5. Étienne / quelques livres / à la bibliothèque _____

   _____

6. nous / lui / du respect _____

Visionnement 2

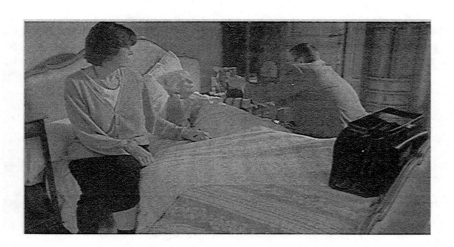

Après le visionnement. Pensez à l'information culturelle dans ce chapitre, dans l'Épisode 9 et sur la photo. Ensuite, associez les éléments des deux colonnes pour parler de la situation médicale en France.

1. Une personne âgée est malade. _____

2. Un enfant se casse le bras. _____

3. Une femme attend un enfant. _____

4. Une femme a mal aux dents. _____

5. Un adolescent a mal à la tête. _____

6. Un homme mange trop pendant un grand repas familial. _____

7. Un étudiant ne se sent pas bien (*doesn't feel well*), mais il n'est pas très malade. _____

a. Il parle avec un pharmacien.
b. Il a une crise de foie.
c. Le médecin vient à la maison.
d. Elle va chez le dentiste.
e. Il prend de l'aspirine.
f. Elle ne paie presque rien (*almost nothing*) pour les visites médicales.
g. On l'amène (*takes him*) à l'hôpital pour lui mettre un plâtre.

$\mathscr{A}$ écrire ✏️

$\mathscr{À}$ la pharmacie

Vous n'allez pas très bien et vous allez à la pharmacie. Imaginez un petit dialogue avec la pharmacienne.

Première étape. Imaginez vos symptômes et déterminez le vocabulaire nécessaire pour les expliquer (*explain them*) à la pharmacienne.

_____

_____

_____

Deuxième étape. Faites une liste de trois questions qu'elle vous pose sur vos symptômes.

_____

_____

_____

Troisième étape. Imaginez les conseils qu'elle vous donne et faites une liste de vocabulaire utile.

_____

_____

_____

Quatrième étape. Maintenant, écrivez le dialogue. Organisez les questions, les réponses et les conseils de la pharmacienne dans un ordre logique.

> MODÈLE: PHARMACIENNE: Bonjour, monsieur.
> VOUS: Bonjour, madame. Je ne me sens pas bien…

_____

_____

_____

_____

_____

_____

_____

Cinquième étape. Maintenant, lisez votre dialogue et cherchez des fautes d'orthographe (*spelling errors*), de ponctuation, de grammaire (par exemple, les accords sujet-verbe et substantif-adjectif) et de vocabulaire. S'il y a des fautes, corrigez-les.

Dossier culturel

A. **Les médecines douces.** Utilisez des ressources imprimées (*printed*) ou des liens sur **www.mhhe.com/debuts** pour faire quelques recherches sur les médecines douces. Sélectionnez deux types de médecines douces (par exemple, la réflexologie et l'homéopathie) et donnez une définition de chaque type. Ensuite, pour chacune d'elles, choisissez un symptôme et recherchez comment on le traite. Finalement, faites une liste des médecines douces que vous utilisez, et expliquez pourquoi vous les employez. Si vous n'employez jamais les médecines douces, expliquez pourquoi.

B. **La Sécurité sociale.** La Sécurité sociale en France offre le remboursement des frais (*costs*) médicaux et aussi quelques autres services. En employant des ressources imprimées ou des liens sur **www.mhhe.com/debuts**, faites des recherches et trouvez deux services intéressants de la Sécurité sociale. Dites en quoi ils consistent et mentionnez qui peut bénéficier de chaque service en particulier. Est-ce que ces services sont comparables aux services offerts dans votre pays? Donnez quelques exemples.

Chapitre **10**

Rendez-vous au restaurant

Vocabulaire en contexte

*L*es distractions en ville

A. Où va-t-on ce soir? Pour dire où on va ce soir, faites une phrase avec le sujet que vous entendez, le verbe **aller** et la distraction indiquée dans le dessin.

MODÈLE: Vous voyez:

Vous entendez: nous
Vous dites: Nous allons au restaurant.
Vous entendez: Nous allons au restaurant.

1.

2.

3.

4.

5.

6.

B. **Les passe-temps.** (*Pastimes.*) Faites des phrases complètes avec les éléments donnés.

   MODÈLE: on / jouer / volley-ball →
   On joue au volley-ball.

   1. Michel / faire / roller _____

   2. tu / jouer / violon _____

   3. les Green Bay Packers / jouer / football américain _____

   _____

   4. nous / ne pas jouer / billard _____

   5. vous / faire / musculation _____

   6. je / faire / course à pied _____

   7. Francis Cabrel / ne pas jouer / piano _____

   _____

   8. mon ami et moi / faire / tennis _____

   9. tes amis et toi / ne pas faire / musique _____

C. **Après le travail.** Complétez chaque phrase suivante avec la forme correcte d'un mot de la liste de vocabulaire. Ajoutez (*Add*) une préposition et/ou un article, si nécessaire.

   Vocabulaire utile: assister à, boîte de nuit, bowling, billard, boxe, cirque, distraction, exposition, footing, jeu, nuit, skate, urbain(e), vie, ville

   1. Tu préfères la vie _____? Moi, j'aime mieux la campagne (*countryside*).

   2. Les fanatiques du sport _____ des matchs de tennis et de

   _____ , par exemple.

   3. Je travaille le jour et j'aime sortir _____.

   4. Nos enfants aiment beaucoup _____ parce qu'ils adorent les clowns.

   5. Paris, Marseille, Lyon et Rouen sont de grandes _____ françaises.

   6. Le volley-ball et le tennis sont vos _____ préférés, n'est-ce pas?

   7. J'adore les impressionnistes! Allons à _____ au musée, d'accord?

   8. Mon cousin adore _____. Il a fait 300, un jeu parfait (*perfect*).

   9. On peut faire _____ et _____ dans un parc.

   10. _____ que nous préférons sont le théâtre et le cinéma. Nous

   n'aimons pas les _____.

D. Vos activités préférées. Qu'est-ce que vous aimez faire? Expliquez ce que (*what*) vous préférez faire aux moments suivants.

    MODÈLE: samedi matin → J'aime faire de la musculation le samedi matin.

1. vendredi soir _____

    _____

2. samedi après-midi _____

    _____

3. samedi soir _____

    _____

4. mercredi soir _____

    _____

5. jour de votre anniversaire _____

    _____

ℒes temps et les saisons

A. Vrai ou faux? Regardez bien la carte (*map*) de la France. Écoutez les phrases et répondez selon les modèles.

MODÈLE: Vous entendez: Il fait mauvais à Rouen.
         Vous regardez: la ville de Rouen sur la carte de France
         Vous dites: C'est vrai. Il fait mauvais à Rouen.
         Vous entendez: C'est vrai. Il fait mauvais à Rouen.

MODÈLE: Vous entendez: Le ciel est clair à Nantes.
         Vous regardez: la ville de Nantes sur la carte de France
         Vous dites: Ce n'est pas vrai. Le ciel est couvert à Nantes.
         Vous entendez: Ce n'est pas vrai. Le ciel est couvert à Nantes.

1. …   2. …   3. …   4. …   5. …   6. …

B. **Le beau temps.** Employez le vocabulaire utile pour compléter les phrases.

Vocabulaire utile: météo, orage, Quel temps fait-il, saison, températures, temps

1. MICHEL: _____ aujourd'hui?
   MIREILLE: Il fait très beau! Regarde!

2. Le printemps est ma _____ préférée. J'adore les fleurs!

3. Jean-Claude regarde la _____ à la télé le matin parce qu'il veut faire du jogging l'après-midi.

4. Si on veut nager, des _____ entre 25° C et 35° C sont bonnes.

5. Le _____ est souvent nuageux à Seattle et il pleut beaucoup aussi.

C. **La météo et les saisons.** Décrivez (*Describe*) les saisons chez vous. Employez les adverbes **souvent** et **parfois** ou des négations, si nécessaire. Vous devez utiliser chaque expression de la liste, mais vous pouvez utiliser certaines expressions plusieurs (*several*) fois.

Vocabulaire utile: le ciel est clair, le ciel est couvert, il fait beau, il fait chaud, il fait doux, il fait du soleil, il fait du vent, il fait frais, il fait froid, il fait mauvais, il neige, il pleut, il y a un orage, le temps est nuageux

1. En hiver, _____

   _____

   _____

2. Au printemps, _____

   _____

   _____

3. En été, _____

   _____

   _____

4. En automne, _____

   _____

   _____

D. Les activités et le temps. Est-ce que les activités que vous faites avec vos amis dépendent du temps qu'il fait (*depend on the weather*)? Expliquez en utilisant le vocabulaire de ce chapitre et d'autres mots familiers. Écrivez au moins (*at least*) cinq phrases.

> MODÈLE: Quand il fait mauvais, mes amis et moi aimons aller au cinéma. Mais quand il fait beau, nous faisons souvent du tennis...

_____

_____

_____

_____

_____

_____

_____

Visionnement 1

A. Au restaurant. Camille et Bruno dînent ensemble ce soir. Choisissez l'option qui complète chaque phrase correctement.

1. Avant cette scène, Louise veut _____ avec Camille.

   a. dîner   b. faire un voyage   c. aller au cinéma

2. Les parents de Camille sont _____.

   a. mariés   b. séparés   c. divorcés

3. Le patron (*owner*) du restaurant _____ Bruno et Camille.

   a. n'aime pas   b. connaît (*knows*)   c. ne connaît pas

4. Bruno et Camille prennent _____.

   a. du poulet   b. des œufs   c. du jambon

5. La patronne du restaurant est _____.

   a. curieuse   b. discrète   c. triste

6. La patronne pense que Bruno et Camille _____.

   a. sont mariés   b. sont divorcés   c. ont été fiancés (*were once engaged*)

7. Dans la cuisine, le chef _____.

   a. parle avec sa femme   b. fait attention à sa sauce   c. sert les plats à Bruno et Camille

B. À propos des personnages

Première étape. Selon votre impression de la relation entre Bruno et Camille, décidez si les phrases suivantes sont sûres (**S**), probables (**P**), peu probables (**PP**) ou si c'est impossible à dire (**I**).

1. _____ Bruno a beaucoup d'amies.

2. _____ Bruno a trois sœurs.

3. _____ Bruno pense comprendre les femmes.

4. _____ Bruno pense comprendre Camille.

5. _____ Bruno et Camille s'entendent bien.

6. _____ Bruno aime Camille.

7. _____ Bruno et Camille ont été fiancés.

8. _____ Bruno veut se marier avec Camille.

9. _____ Bruno veut une famille traditionnelle.

10. _____ Camille trouve Bruno charmant et énergique.

11. _____ Camille veut se marier avec Bruno.

12. _____ Bruno et Camille travaillent bien ensemble.

13. _____ Bruno et Camille vont longtemps travailler ensemble à Canal 7.

Deuxième étape. Écoutez ce texte sur la relation entre Camille et Bruno.

Bruno a beaucoup d'amies et, en plus, il a trois sœurs; alors il pense comprendre les femmes. Mais Camille, pour lui, est un grand mystère. Une chose est certaine, Bruno l'aime. Et pas comme une petite sœur, pas comme une amie. Il veut se marier avec elle, même si,[1] parfois, il ne la comprend pas. Et Camille? Que pense-t-elle de Bruno? Elle adore son charme, son humour et son énergie, mais elle ne veut pas se marier avec lui. Même si la patronne du restaurant pense qu'ils ont été fiancés, ce n'est pas très clair. Camille a dit[2] «oui» à Bruno un jour, autrefois, pendant[3] un voyage très romantique à Venise. Mais après, elle a eu[4] des regrets. Elle a écouté[5] ses idées; il voulait une petite famille, une voiture, un grand appartement; et elle a eu peur.[6] Alors, pas de mariage. C'est une question délicate dans la relation qui existe entre Camille et Bruno.

Mais au travail il n'y a pas de difficultés. À Canal 7, ils forment le couple parfait. Ils travaillent tous les jours[7] sur l'émission «Bonjour!». Ils sont ensemble du matin au soir, et ils s'entendent et s'amusent bien. Bruno est un collègue super, même s'il panique quelquefois[8] quand Camille met trop de temps à se maquiller avant l'émission. Et Camille, elle aime travailler avec un homme si dynamique et intéressant.

Et demain? Vont-ils continuer ensemble, amis et collègues? Vont-ils se séparer? Comment répondre à ces questions? Pour le moment, c'est impossible.

[1]même... *even if* [2]a... *said* [3]*during* [4]a... *had* [5]a... *listened to* [6]a... *became afraid* [7]tous... *every day* [8]*sometimes*

Troisième étape. Maintenant, retournez à vos réponses dans la première étape et corrigez-les, si nécessaire, en vous basant sur le texte.

C. **Vous avez compris?** Basez-vous sur le texte sur Bruno et Camille pour répondre à chacune des questions suivantes. Indiquez s'il s'agit de (*if it refers to*) Camille, de Bruno, des deux ou d'aucun (*neither*) des deux.

	CAMILLE	BRUNO	LES DEUX	AUCUN DES DEUX
1.	☐	☐	☐	☐
2.	☐	☐	☐	☐
3.	☐	☐	☐	☐
4.	☐	☐	☐	☐
5.	☐	☐	☐	☐
6.	☐	☐	☐	☐
7.	☐	☐	☐	☐
8.	☐	☐	☐	☐

D. **Ne... que.** Récrivez (*Rewrite*) chaque phrase avec **ne... que.**

MODÈLE: J'ai seulement trois euros. → Je n'ai que trois euros.

1. Elle vient seulement le mardi.

   _____

2. Michel pense seulement à ses problèmes.

   _____

3. Je parle de cela seulement avec toi.

   _____

4. Il fait seulement deux degrés ce matin.

   _____

5. Tu manges seulement des crevettes?

   _____

6. Il neige seulement dans la montagne.

   _____

7. Nous avons seulement une heure pour faire du jogging.

   _____

8. Le temps est nuageux seulement quand il fait froid.

   _____

Prononciation et orthographe 🎧

Les sons /j/, /w/ et /ɥ/

When the vowels /i/, /u/, and /y/ are followed by another vowel, a new sound is often produced.

Le son /j/

When the vowel sound /i/ occurs before another vowel, the sound /j/ is usually formed. Listen and repeat.

<table>
<tr><td>vient /vjɛ̃/</td><td>pied /pje/</td><td>Lyon /ljɔ̃/</td><td>il y a /ilja/</td></tr>
</table>

This sound also occurs in combinations such as the following. For each example, listen and repeat.

- vowel + **y** + vowel

     rayon /ʀejɔ̃/   payer /peje/

- vowel + **il**

     travail /tʀavaj/   sommeil /sɔmɛj/

- vowel + **ill**

     maillot /majo/   conseiller /cɔ̃sɛje/   travaille /tʀavaj/   bouteille /butɛj/

- consonant sound + **ill**

     fille /fij/   famille /famij/   gentille /ʒɑ̃tij/   vanille /vanij/

Be aware that sometimes **ill** is pronounced as /il/. Since there is no rule to guide you in these cases, you must memorize the pronunciation. Listen anld repeat.

     ville /vil/   tranquille /tʀankil/

Le son /w/

When the vowel sound /u/ occurs before another vowel, the sound /w/ is usually formed. Listen and repeat.

     oui /wi/   chouette (*cute*) /ʃwɛt/

This sound also occurs in combinations such as the following. For each example, listen and repeat.

- **oi** and **oî** are pronounced as /wa/

     moi /mwa/   boîte /bwat/

- **oy** is pronounced as /waj/

     voyage /vwajaʒ/   moyen /mwajɛ̃/

- **oin** is pronounced as /wɛ̃/

     loin /lwɛ̃/   besoin /bəzwɛ̃/

Le son /ɥ/

When the vowel sound /y/ occurs before another vowel, the sound /ɥ/ is usually formed. Listen and repeat.

nuit /nɥi/   depuis /dəpɥi/

Écoutez et répétez. Now listen to the following sentences. Repeat them, trying to imitate the pronunciation of the speaker as closely as possible. The letters pronounced as the sounds /j/, /w/, /wa/, and /ɥ/ are highlighted.

1. On va **v**oir une exposition d'art et **p**uis (*then*) on va danser dans une b**oî**te de n**u**it!
2. La c**u**isinière prépare de la viande, du p**oi**sson, des petits p**oi**s, et une salade de fr**ui**ts.
3. Les serv**i**ettes, les ass**i**ettes, et les c**ui**llères sont dans la c**ui**sine.
4. Ma f**i**lle aime bien jouer au b**i**llard dans la v**i**lle pendant la n**u**it.
5. M**oi**, je préfère les **y**eux verts, mais l**u**i, il aime les **y**eux bleus.
6. **Ou**i, il faut travailler même si c'est ennu**y**eux.

Structure 30

Le passé composé
Talking about past events

A. Le passé. Faites une phrase au passé composé en utilisant le sujet que vous entendez.

MODÈLE: Vous lisez: faire le ménage ce matin
          Vous entendez: je
          Vous dites: J'ai fait le ménage ce matin.
          Vous entendez: J'ai fait le ménage ce matin.

1. donner des chocolats à ma grand-mère
2. dormir sur le canapé dans la salle de séjour
3. jouer au base-ball après notre mariage
4. prendre un manteau avant de sortir
5. attendre mon appel?
6. écouter le président à la télé
7. devoir quitter la salle de classe
8. mettre du temps à finir (*to finish*) les devoirs
9. pouvoir trouver le médaillon
10. montrer le film à Joseph?

B. Le week-end passé. (*Last weekend.*) Des amis racontent leur week-end. Choisissez un verbe pour remplir (*fill*) chaque blanc et conjuguez-le au passé composé.

1. **Verbes:** dormir, faire, inviter, manger, montrer, servir

Mes parents et moi, nous _____ des amis à manger. Nous leur

_____ des photos de notre voyage en Suisse. Avant le repas, mon

père _____ du champagne, puis ma mère

_____ un rôti. Comme dessert, on _____

de la glace au chocolat. C'était chouette!°

°C'était... *It was terrific!*

2. **Verbes:** laver, regarder, rendre visite, servir, téléphoner, travailler

Samedi, j'_____ 10 heures au supermarché. Dimanche matin,

j'_____ ma voiture et puis, j'_____ à ma

grand-mère. Elle était (*was*) chez elle, alors je lui _____. Ensemble,

nous _____ un film à la télé.

3. **Verbes:** chercher, demander, faire, parler, perdre, trouver

Quel week-end difficile! Vendredi, j'_____ mon sac à dos (avec tous

mes livres!) à l'université. Samedi matin, je l'_____ partout[a] sur le

campus. Quand je l'_____, il n'y avait plus de livres.[b]

J'_____ avec mon père au téléphone et je lui

_____ de l'argent pour remplacer[c] mes livres.

[a]*everywhere* [b]il... *the books were no longer there* [c]*replace*

4. **Verbes:** avoir, danser, dîner, être, organiser, porter, prendre

Samedi, mon cousin Édouard _____ vingt et un ans. Ses amis

_____ une fête pour son anniversaire.

J'_____ ma nouvelle robe et mes chaussures préférées. Nous

_____ au restaurant et puis, on _____ dans

une discothèque jusqu'à° 5 h du matin! Mon cousin _____ très

content de sa fête.

°*until*

C. **Hier soir.** Qu'est-ce que chaque personne a fait hier soir et qu'est-ce qu'elle n'a pas fait? En utilisant le vocabulaire de la liste, écrivez deux phrases complètes au passé composé.

Vocabulaire utile: acheter, attendre le bus, dîner, étudier, faire (le ménage, sport, du shopping, de la musculation), jouer, manger du fast-food, mettre la table, prendre un verre, regarder, voyager

MODÈLE:

Jean Vascaux

→

Jean Vascaux a fait de la musculation au centre sportif. Il n'a pas fait le ménage.

Danielle Ploie

1. _____

_____

_____

Frédéric Bousquet

2. _____

_____

_____

Mme et M. Cèze

3. _____

_____

_____

Cédric Picard

4. _____

_____

_____

Michel Florentin

5. _____

_____

_____

Georges et Marie Dufour

6. _____

_____

_____

D. À qui? Faites des phrases avec les éléments donnés. Employez un complément d'objet indirect.

> MODÈLE: hier / ses parents / donner / une voiture / à Michel →
> Hier ses parents lui ont donné une voiture.

1. hier soir / nous / envoyer / des chocolats / à notre mère

   _____

2. samedi passé / elle / ne pas acheter / le dîner / à ses amis

   _____

3. ce matin / tu / répondre / «non» / à moi

   _____

4. je / ne jamais montrer / les photos / à toi / ?

   _____

5. vous / rendre visite / à nous / en avril

   _____

6. ils / ne pas raconter / cette histoire / à vous / ?

   _____

E. Oui ou non? Écoutez la question et répondez oralement (*orally*) au passé composé avec un pronom complément d'objet direct. *Attention:* N'oubliez pas de faire l'accord du participe passé. Ensuite, indiquez la forme écrite correcte.

> MODÈLE: Vous entendez: Il a oublié son livre?
> Vous lisez: (oui) oublié oubliée
> Vous dites: Oui, il l'a oublié.
> Vous entendez: Oui, il l'a oublié.
> Vous choisissez: (oui) ⟨oublié⟩ oubliée

> MODÈLE: Vous entendez: Vous avez appris la leçon?
> Vous lisez: (non) appris apprise
> Vous dites: Non, nous ne l'avons pas apprise.
> Vous entendez: Non, nous ne l'avons pas apprise.
> Vous choisissez: (non) appris ⟨apprise⟩

1. (non)   bu   bus
2. (oui)   étudié   étudiée
3. (oui)   faite   faits
4. (non)   fait   faite
5. (non)   mis   mises
6. (non)   pris   prise
7. (non)   quittée   quittés
8. (oui)   raconté   racontée

F. **À compléter.** Choisissez le verbe logique pour compléter la phrase et mettez-le au passé composé. Faites attention à l'accord du participe passé où il est nécessaire.

> MODÈLES: (manger, oublier) Ses livres? Il les → a oubliés.
> (répondre, mettre) Son professeur? Elle lui → a répondu.

1. (boire, faire) La bière (*beer*)? Nous l'_____.

2. (habiter, mettre) Les chaussettes? Il les _____.

3. (acheter, téléphoner) Mes parents? Je leur _____.

4. (étudier, porter) La cravate? Mon père l'_____.

5. (comprendre, donner) Charles? Je lui _____ mon livre.

6. (inviter, trouver) La chaussure perdue? Ma mère l'_____.

7. (acheter, apprendre) Le maillot de bain? Je l'_____.

8. (dire, parler) Georges et Marianne? Je leur _____ «oui».

G. **De nouveaux amis. (*New friends*.)** Deux étudiants viennent de faire connaissance. Ils se posent des questions. Employez la forme interrogative indiquée et le passé composé du verbe pour créer (*to create*) chaque question.

> MODÈLE: (inversion) où / tu / étudier / l'année passée →
> Où as-tu étudié l'année passée?

1. (intonation) tes parents / acheter / une voiture / pour toi?

   _____

2. (est-ce que) tu / étudier / le français / au lycée?

   _____

3. (inversion) tu / faire un voyage / avec tes amis en été?

   _____

4. (est-ce que) ta famille / appeler / ce week-end?

   _____

5. (inversion) tu / prendre / le petit déjeuner ce matin?

   _____

6. (intonation) tes amis / devoir / beaucoup étudier / au lycée?

   _____

7. (est-ce que) tes amis et toi / danser / hier soir (*last night*)?

   _____

8. (inversion) tu / comprendre / la leçon / en classe / ce matin?

   _____

H. **Il y a combien de temps?** Expliquez la dernière (*last*) fois que vous avez fait certaines choses. Employez le passé composé + **il y a.**

> MODÈLE: manger au restaurant →
> J'ai mangé au restaurant il y a une semaine.

1. acheter un vêtement

   _____

2. apprendre à dire «bonjour» en français

   _____

3. faire une promenade

   _____

4. manger au restaurant

   _____

5. quitter la maison

   _____

6. téléphoner à un ami

   _____

7. avoir mal à la tête

   _____

8. mettre la table chez vos parents

   _____

I. **Le week-end.** Écrivez un paragraphe de six phrases pour décrire votre dernier (*last*) week-end. Qu'est-ce que vous avez dû faire et qu'est-ce que vous avez fait pour vous amuser? Employez des pronoms compléments d'objet direct et indirect, si possible.

_____

_____

_____

_____

_____

_____

_____

_____

_____

Structure 31

La place des expressions de temps

Talking about time

A. Francis, le soir. (*Francis in the evening.*) Vous allez entendre un adverbe de temps. Racontez le soir de Francis en utilisant l'adverbe et une activité de la liste de vocabulaire.

Vocabulaire utile: Francis prend son dîner, Francis s'endort, il se couche, il se brosse les dents

    1. …   2. …   3. …   4. …

B. Maurice, le matin. (*Maurice in the morning.*) Écrivez une expression de temps dans chaque phrase pour raconter le matin de Maurice.

Vocabulaire utile: après, d'abord, enfin, ensuite, plus tard, puis

_____,¹ Maurice se lève. _____,² il se rase. _____,³ il s'habille. _____,⁴ il prend son petit déjeuner. _____,⁵ il se brosse les dents et il sort de chez lui.

C. Deux grands sportifs. Étudiez les emplois du temps de Richard et de Nicole. Puis, faites une phrase avec une des expressions de temps données et l'activité que vous entendez.

    MODÈLE: Vous lisez: souvent, de temps en temps
                    Vous entendez: jouer au tennis
                    Vous dites: Richard joue souvent au tennis.
                    Vous entendez: Richard joue souvent au tennis.

Richard Bertrand: printemps 2002

LUNDI	MARDI	MERCREDI	JEUDI	VENDREDI	SAMEDI	DIMANCHE
8 h tennis	8 h jogging	8 h tennis	8 h jogging	8 h tennis	8 h tennis	
9 h 30 nager°	9 h 30 nager	9 h 30 nager	10 h volley-ball	9 h 30 roller	12 h roller	
11 h musculation	11 h musculation	11 h musculation	11 h 30 musculation	11 h musculation	1 h 30 musculation	
					le soir: bowling	

°*to swim*

1. rarement   presque (*almost*) tous les jours
2. de temps en temps   souvent
3. de temps en temps   très souvent
4. parfois   toujours
5. avant   d'habitude
6. avant le volley-ball   après le volley-ball
7. tard   tôt
8. ne… jamais   parfois

Nicole Durand: avril 2002

LUNDI	MARDI	MERCREDI	JEUDI	VENDREDI	SAMEDI	DIMANCHE
1	2 match de foot	3 jeu de base-ball	4 nager avec Anne	5 cours de tennis	6 match de foot	7 tennis avec Luc
8	9 match de foot	10 jeu de base-ball	11 match de volley	12 cours de tennis	13 match de foot	14 tennis avec Luc
15 jogging avec Anne	16 match de foot	17 jeu de base-ball	18	19 cours de tennis	20 match de foot	21 tennis avec Luc
22	23 match de foot	24 jeu de base-ball	25 match de volley	26 cours de tennis	27 match de foot	28 tennis avec Luc
29	30 match de foot					

9. ne… jamais   souvent
10. de temps en temps   tous les jeudis
11. de temps en temps   rarement
12. d'habitude   maintenant
13. quelquefois   tard

D. Les emplois de Paule. Étudiez l'histoire des emplois de Paule Leclerc et faites des phrases avec les éléments donnés. Employez le passé composé (p.c.) où il est indiqué et mettez l'adverbe au bon endroit (*place*) dans la phrase.

Paule Leclerc
23, Boulevard Raspail
75014 Paris

Travail

septembre 2001 – présent	Sous-directrice de l'école primaire Albert Camus, Paris, France
septembre 2000 – juillet 2001	Maîtresse à l'école primaire Victor Hugo, Cachan, France
septembre 1999 – juillet 2000	Maîtresse à l'école primaire Paul Bert, Cachan, France
septembre 1990 – juillet 1999	Maîtresse au collège Victor Hugo, Cachan, France
septembre 1989 – juillet 1990	Maîtresse au collège Marcel Proust, Rouen, France
septembre 1987 – juillet 1989	Maîtresse à l'école primaire Albert Camus, Paris, France

---

1. (aujourd'hui) Paule / habiter / Paris

_____

2. (maintenant) elle / être / sous-directrice / l'école primaire Albert Camus

_____

3. (déjà) mais / elle / habiter (p.c.) / Paris

_____

4. (jusqu'à) elle / travailler (p.c.) / Paris / de 1987 / 1989

_____

5. (toujours) elle / ne pas travailler (p.c.) / Paris

_____

6. (avant) elle / enseigner (*to teach*) (p.c.) / Cachan

_____

7. (autrefois) elle / être (p.c.) / institutrice / la même école

_____

E. Les amis différents. Martin est très différent de Charles. Il dit toujours le contraire de son ami. Écrivez les commentaires de Martin.

MODÈLE: CHARLES: Je fais rarement de la musculation. →
MARTIN: Moi, je fais de la musculation tous les jours. (Moi, je fais souvent de la musculation.)

1. CHARLES: Je ne vais jamais au musée.

   MARTIN: _____

2. CHARLES: Je n'habite plus chez mes parents.

   MARTIN: _____

3. CHARLES: Il fait toujours beau dans ma ville.

   MARTIN: _____

4. CHARLES: Je n'ai pas encore trouvé un bon job.

   MARTIN: _____

5. CHARLES: Quand quelqu'un (*someone*) me parle, je ne réponds pas.

   MARTIN: _____

6. CHARLES: J'ai déjà beaucoup appris.

   MARTIN: _____

F. Le matin. Décrivez un matin typique chez vous. Utilisez beaucoup d'expressions de temps.

Vocabulaire utile: après, d'abord, d'habitude, enfin, ensuite, plus tard, puis, quelquefois, souvent, tous les jours…

_____

_____

_____

_____

_____

_____

_____

_____

G. Activités. Répondez aux questions en utilisant des adverbes et des expressions de temps.

1. Qu'est-ce que vous avez fait hier?

    _____

    _____

2. Qu'est-ce que vous pensez faire aujourd'hui après le cours?

    _____

    _____

3. Qu'est-ce que vous allez faire demain? bientôt?

    _____

    _____

4. Quelles activités avez-vous faites à l'âge de dix ans que vous aimez toujours aujourd'hui?

    _____

    _____

5. Qu'est-ce que vous aimez faire très souvent?

    _____

    _____

6. Quelles activités préférez-vous faire de temps en temps mais pas souvent?

    _____

    _____

Regards sur la culture

Manger vite mais bien

Même si les cafés et les restaurants traditionnels restent très importants pour les Français, il y a aussi beaucoup de fast-foods qui servent non pas des hamburgers mais des choses simples, bonnes et tout à fait° françaises.

°tout... *completely*

∾ *Sandwichs* ∾	∾ *Salades* ∾	∾ *Boissons* ∾
PARISIEN 2,88 € Jambon de Paris	**SIMPLE** 2,06 € Salade, tomates, concombre, olives noires	**BOISSONS GAZEUSES** 1,66 € Sans alcool
SAVOIE 2,33 € Fromage de Savoie	**NORDIQUE** 6,03 € Salade, concombre, tomates, saumon	**JUS DE FRUITS** 2,24 € Pomme, orange, raisin, tomate
PROVENÇAL 3,24 € Tomates, saucisson	**PROVENÇALE** 4,24 € Salade, tomates, poivron, saucisson sec	**EAUX MINÉRALES** 1,52 € Badoit, Evian, Perrier
NIÇOIS 5,05 € Thon, œuf, salade, tomates	**NIÇOISE** 5,05 € Salade, thon, œuf, anchois, tomates, olives noires	**VINS** 2,69 € Bordeaux rouge, Côtes du Rhône, Bordeaux, blanc
EXTRA 5,15 € Jambon, fromage, salade, tomates	**EXTRA** 5,15 € Salade, jambon, fromage, tomates, concombres	**BIÈRE PRESSION** 2,19 €
ORIENTAL 4,69 € Poulet, sauce curry, poivrons	**INDIENNE** 6,69 € Salade, poulet, sauce curry, riz, crudités	∾ *Desserts* ∾ **TARTE AUX POMMES** 2,99 € **TARTE POIRE AU CHOCOLAT** 3,15 € **GLACE** 2,49 € Vanille, fraise, chocolat

Qu'est-ce qu'on prend? Imaginez les situations suivantes et répondez aux questions.

1. Vous avez faim et vous avez 15,00 € pour commander au moins deux choses à manger et une boisson. Que choisissez-vous?

   _____

   _____

   _____

2. Maintenant, imaginez que votre ami vous donne 15,00 € pour lui acheter un repas. *Attention:* Il est allergique aux tomates et au chocolat. Quel repas lui commandez-vous?

   _____

   _____

   _____

3. Combien avez-vous dépensé (*did you spend*) pour votre repas? _____

4. Et pour le repas de votre ami? _____

5. Qui mange le mieux (*the best*)? _____

Structure 32

Les verbes *voir, croire* et *recevoir*

Talking about everyday activities

A. Prononciation. The forms of the verbs **voir**, **croire**, and **recevoir** are irregular. Notice the following facts about their pronunciation.

- The singular forms of each verb all sound the same. You must pay attention to the pronoun, since it clarifies which person the speaker is talking about. Listen and repeat.

   je vois, tu vois, il voit, elle voit, on voit
   je crois, tu crois, il croit, elle croit, on croit
   je reçois, tu reçois, il reçoit, elle reçoit, on reçoit

- In the cases of **voir** and **croire**, even the plural **ils/elles** form sounds the same as the singular. Listen and repeat.

il voit	ils voient
elle croit	elles croient

   For these two verbs, only the context will tell you whether the speaker is referring to one person or more than one.

   In the case of **recevoir**, however, you can distinguish between the singular **il/elle** form and the plural **ils/elles** form by listening for the final sound in the verb. The singular form ends with a vowel sound, /wa/; the plural has a final consonant sound /v/. Listen and repeat.

   il reçoit   ils reçoivent

- For the **nous** and **vous** forms of **recevoir**, there is a change in the stem's second vowel sound. Listen and repeat.

   nous recevons   vous recevez

Now listen to each sentence and repeat it aloud. Then circle the verb form you hear. Pay attention not only to the pronoun and the verb, but also to the context. If the verb could be either form because even the context does not clarify, circle both forms. You will hear each sentence twice.

1.	vois	voit	7.	recevons	reçoivent
2.	croient	croyons	8.	voient	voit
3.	voient	voyez	9.	reçoit	reçoivent
4.	reçois	reçoit	10.	crois	croit
5.	voient	voit	11.	croient	croit
6.	reçoit	reçoivent	12.	croient	croit

B. Je crois... Écoutez et changez la phrase en utilisant le sujet indiqué.

> MODÈLE: Vous entendez: Elle croit que oui.
> Vous lisez: tu
> Vous dites: Tu crois que oui.
> Vous entendez: Tu crois que oui.

1. je   2. elle   3. tu   4. vous   5. ils   6. nous

C. Qui voit qui? Vous entendez le sujet d'une phrase et vous lisez un complément d'objet direct. Faites une phrase en joignant (*joining*) ces deux parties avec le verbe **voir**.

> MODÈLE: Vous entendez: ma mère
> Vous lisez: ses sœurs
> Vous dites: Ma mère voit ses sœurs.
> Vous entendez: Ma mère voit ses sœurs.

1. ses amis   3. ta grand-mère   5. vos nièces
2. nos cousins   4. mes frères   6. leurs petits-enfants

D. La même chose! Ferdinand achète les mêmes cadeaux pour sa famille tous les ans. Complétez les phrases avec les formes du présent et du passé composé du verbe **recevoir**.

1. Chaque année, sa mère _____ un chapeau. Elle

   _____ un chapeau rouge en 2001 et un chapeau bleu en 2002.

2. Son père _____ toujours une cravate. L'année dernière, il

   _____ deux cravates!

3. Ses frères _____ d'habitude des radios. L'année dernière, ils

   _____ un nouveau CD aussi.

4. Ferdinand dit: Mais moi aussi, je _____ souvent la même chose: des
   vêtements, des livres ou des CD. Non?

E. Voir, croire, recevoir. Complétez les phrases avec le présent des verbes **voir**, **revoir**, **croire** et **recevoir**.

1. Amélie étudie beaucoup et elle _____ toujours 18/20 pour ses
   devoirs.

2. Si tu _____ Pierre, donne-lui ce livre.

3. Vous _____ que c'est vrai?

4. Quand Jean-Luc voyage, il _____ rarement sa famille.

5. Si vous _____ une voiture pour votre anniversaire, allons à New
   York!

6. Nous ne _____ jamais la même exposition d'art deux fois.

7. Sylvie et Romain _____ qu'ils ne peuvent pas venir.

8. Si je _____ un chèque aujourd'hui, je vais faire du shopping.

9. Mon fils ne _____ plus au Père Noël, mais il aime les cadeaux.

F. Le week-end passé. Faites des phrases au passé composé avec les éléments donnés pour dire ce qui s'est passé (*what happened*) le week-end dernier.

1. je / revoir / amis de lycée

   _____

2. vous / ne pas croire / l'histoire vraie de votre ami

   _____

3. nos amis / recevoir / une boîte de chocolats

   _____

4. nous / voir / un bon film chinois

   _____

5. tu / recevoir / une voiture / de tes parents

   _____

6. Mme Carmel / ne pas voir / ses petits-enfants

   _____

7. toi et moi / ne pas croire / l'article dans le journal (*newspaper*)

   _____

G. Vous et les autres. Écrivez des phrases où vous vous comparez avec les autres personnes dans votre vie—vos amis et votre famille, par exemple.

1. Est-ce que tout le monde reçoit souvent les mêmes cadeaux que vous? Expliquez.

   _____

   _____

   _____

2. Est-ce que vos amis et vous voyez les mêmes personnes et les mêmes choses quand vous voyagez? Expliquez.

   _____

   _____

   _____

3. Est-ce que vous croyez les mêmes choses que vos amis et votre famille? Expliquez.

   _____

   _____

Visionnement 2

Après le visionnement. Pensez à l'information culturelle dans ce chapitre et dans l'Épisode 10 du film. Ensuite, lisez les phrases suivantes et choisissez deux autres phrases des colonnes A et B pour expliquer les éléments culturels de la scène dans la photo.

	A	B
1. Le décor est simple.	*d*	*g*
2. Il y a une bouteille sur la table de Bruno et Camille.	____	____
3. Bruno n'a pas besoin de regarder la carte (*the menu*).	____	____
4. Il y a un cendrier (*ashtray*) sur la table.	____	____
5. Derrière Bruno et Camille, sur la table du monsieur, il y a une bouteille, un verre et un autre objet.	____	____
6. Le service dans ce restaurant est très bon.	____	____

A

a. Il y a presque toujours du pain dans un panier (*basket*) sur la table en France.
b. Le patron du restaurant est aussi le chef de cuisine et le serveur (*waiter*).
c. Bruno a déjà dîné dans ce restaurant.
d. C'est un petit restaurant familial.
e. C'est normal de boire du vin avec un bon repas.
f. On peut fumer (*smoke*) des cigarettes dans ce restaurant.

B

g. Le décor d'un restaurant est moins important que la nourriture (*less important than food*) en France.
h. Quand les Français trouvent un bon restaurant, ils parlent de ce restaurant avec leurs amis et ils y retournent (*return there*).
i. Les serveurs sont des professionnels en France.
j. Le pain est très important pour les Français.
k. Les Français sont assez tolérants des fumeurs.
l. Le vin est considéré comme un aliment en France.

Écrire

Mon week-end

Votre correspondant(e) français(e) vous a demandé de décrire un week-end typique chez vous.

Première étape. Écrivez en français votre emploi du temps d'un week-end typique. Expliquez, si vous pouvez, l'heure exacte de vos activités. Décidez quels adverbes de temps et quelles autres expressions peuvent vous aider à décrire vos activités. Par exemple, est-ce que vous faites la grasse matinée (*do you sleep in*) ou est-ce que vous préférez vous lever tôt? Qu'est-ce que vous faites d'habitude? de temps en temps? Quelles activités aimez-vous faire s'il fait beau? s'il fait mauvais?

	VENDREDI	SAMEDI	DIMANCHE
matin			
après-midi			
soir			

Deuxième étape. Faites une liste de termes qui vont vous aider à décrire ce que vous avez fait le week-end passé en particulier—par exemple, des expressions de temps et des mots qui décrivent les activités et les endroits.

_____

_____

_____

_____

_____

Troisième étape. Maintenant, écrivez une lettre à votre correspondant(e) et décrivez-lui votre week-end typique. Parlez ensuite de votre dernier week-end pour illustrer ce que vous venez de dire ou bien pour montrer qu'il y a parfois des exceptions à la règle.

MODÈLE: Cher Pierre,
Tu m'as demandé de te décrire un week-end typique chez moi. Le vendredi soir, j'aime souvent...

_____

_____

_____

_____

_____

_____

_____

_____

_____

Quatrième étape. Maintenant, regardez votre lettre et cherchez des fautes d'orthographe, de ponctuation, de grammaire (par exemple, les accords sujet-verbe et substantif-adjectif, les temps de verbes) et de vocabulaire. S'il y a des fautes, corrigez-les.

Dossier culturel

A. **Pariscope.** Imaginez que vous habitez à Paris et que vous avez des amis qui viennent vous rendre visite. Utilisez la revue *Pariscope* ou des liens sur **www.mhhe.com/debuts** pour trouver tout ce dont (*everything that*) vous avez besoin pour planifier des activités pour vos invités. Organisez vos idées dans un tableau.

	HEURE ET ACTIVITÉ	ENDROIT
matin		
après-midi		
soir		

B. **Les cafés de Paris.** Utilisez des liens sur **www.mhhe.com/debuts** ou des ressources imprimées pour découvrir les cafés de Paris. Choisissez un café célèbre, puis faites-en une description (*write a description of it*) et présentez des faits historiques.

Chapitre **11**

De quoi as-tu peur?

Vocabulaire en contexte

*L*es métiers et les professions

A. **Des occupations.** Voici une affiche qui montre une variété de professions et d'emplois. Identifiez l'emploi ou la profession qui convient à chaque numéro.

> MODÈLE: Vous voyez: une pâtissière
> Vous dites: C'est une pâtissière.
> Vous entendez: C'est une pâtissière.

1. ...   2. ...   3. ...   4. ...   5. ...   6. ...
7. ...   8. ...   9. ...   10. ...   11. ...

B. C'est logique! Trouvez la fin (*ending*) logique de chaque phrase.

1. Je travaille quarante heures par semaine; __f__
2. Marie-Claire cherche sur Internet et dans les petites annonces du journal; _____
3. Céline a trouvé son poste à l'université; _____
4. Je veux être président d'une grande société un jour; _____
5. Béatrice Aubusson a employé son ordinateur pour trouver son emploi; _____
6. Maryse a trouvé son emploi dans le journal; _____
7. Je m'occupe des (*take care of*) publicités pour les produits de ma société; _____
8. Cet été, Elisabeth travaille dans une société pour préparer sa future carrière; _____
9. Jean étudie le marketing, le commerce et la gestion; _____
10. Jules travaille dans le département de sécurité de ce musée; _____
11. Marc travaille vingt heures par semaine; _____
12. Citroën n'est pas une petite affaire; _____

a. il veut travailler dans les affaires.
b. je fais du marketing.
c. elle veut trouver un nouveau poste.
d. il a un emploi à mi-temps.
e. elle a regardé les petites annonces.
f. j'ai un emploi à plein-temps.
g. c'est une société.
h. maintenant, j'étudie la gestion.
i. c'est un agent de sécurité.
j. elle fait un stage.
k. elle a regardé sur le tableau d'affichage.
l. elle a cherché sur Internet.

C. Quel est son métier? Identifiez les emplois qui correspondent aux descriptions suivantes. Attention à l'emploi de l'article indéfini.

MODÈLES: M. Leroy vend des rôtis de bœuf et du poulet. Il est → boucher.
Mlle Binoche joue dans des films. C'est → une actrice.

1. M. Vavin s'occupe de l'immeuble où il habite. Il est _____.

2. Mme Dorval travaille au musée d'Orsay à Paris. Elle organise des expositions de l'art du XIXᵉ siècle (*nineteenth century*). C'est _____.

3. Mme Charneau écrit (*writes*) des articles pour des magazines. Elle est _____.

4. Le travail de Ferdinand Lemoine est de comprendre et de parler le français, l'anglais et le japonais pour aider la communication. C'est _____.

5. Mlle Barion travaille dans le service de la comptabilité (*accounting*) chez Renault. C'est _____.

6. Alain Renard est responsable de la gestion d'un restaurant. Il est _____.

7. Béatrice Aubusson travaille dans un bureau où on développe les projets des nouveaux immeubles. Elle est _____.

8. Louis Dion et sa femme fabriquent des pots en céramique et les vendent dans un petit magasin. Ce sont _____.

9. Lise Costa travaille pour l'État. C'est _____.

10. Gérard Daumier est responsable de la gestion d'une société. Il est _____.

D. Les jobs et les professions. Répondez aux questions suivantes en faisant des phrases complètes.

1. Si vous avez déjà travaillé, quels moyens avez-vous utilisés pour trouver un emploi? _____

   _____

   _____

2. Nommez deux professions qui vous semblent intéressantes (*seem interesting to you*). Expliquez.

   _____

   _____

   _____

3. À quels métiers est-ce que vous ne vous intéressez pas? Expliquez. _____

   _____

   _____

   _____

𝓛es jours fériés et les fêtes

A. Le calendrier. Écoutez la date. Ensuite, dites la fête qui correspond.

> MODÈLE: Vous entendez: C'est le 25 décembre.
> Vous voyez: C'est Noël.   C'est Pâques.
> Vous dites: C'est Noël.
> Vous entendez: C'est Noël.

1. C'est la fête nationale.   C'est la fête du travail.
2. C'est le réveillon.   C'est le nouvel an.
3. C'est Hannukah.   C'est le ramadan.
4. C'est la fête nationale.   C'est la pâque.
5. C'est Pâques.   C'est un anniversaire.
6. C'est la pâque.   C'est la Toussaint.

B. Identifiez. Lisez la description des préparations de fête. Identifiez la fête que ces personnes préparent.

Vocabulaire utile: un anniversaire de mariage, un anniversaire de naissance, la fête du travail, la fête nationale, Hannukah, Noël, le nouvel an, la pâque, Pâques, le ramadan, la Toussaint

> MODÈLE: Vous lisez: Aujourd'hui, c'est le premier janvier. Hier soir, on a fêté le réveillon. Aujourd'hui, c'est plus calme, mais nous allons manger ensemble en famille.
> Vous écrivez: C'est le nouvel an.

1. Ma femme et moi, nous sommes mariés aujourd'hui depuis (*for*) un an! Nous allons au restaurant pour dîner, et puis nous allons danser.

   _____

2. Nous sommes juifs. Nous avons une fête religieuse qui est en avril cette année. Pour cette fête, nous préparons un pain sans levain (*unleavened*) et un repas spécial.

   _____

3. Je suis musulman. Cette fête, c'est le mois numéro neuf du calendrier musulman. Nous ne mangeons pas pendant la journée (*during the day*), mais le soir, nous préparons des repas de fête.

_____

4. Aujourd'hui on fête les personnes qui travaillent! C'est le premier mai.

_____

5. Aujourd'hui, mon fils Luc a trois ans. Nous avons un gâteau (*cake*) pour lui. On va s'amuser!

_____

6. C'est le 14 juillet, «le jour de la Bastille».

_____

7. C'est le 25 décembre, une fête chrétienne (*Christian*). Nous allons à la messe et nous offrons des cadeaux (*gifts*) à la famille.

_____

8. Au mois de décembre, des familles juives se souviennent d'un miracle ancien. C'est une fête qui dure huit jours.

_____

9. Un dimanche au printemps, les gens chrétiens vont à la messe ou à l'église (*church*) pour une fête joyeuse.

_____

𝓛 es nombres ordinaux

A. Quel mois est... ? Pensez à l'ordre des mois. Répondez à la question que vous entendez en identifiant chaque mois avec un nombre ordinal.

MODÈLE: Vous entendez: le mois d'avril?
Vous dites: Avril, c'est le quatrième mois.
Vous entendez: Avril, c'est le quatrième mois.

janvier	avril	juillet	octobre
février	mai	août	novembre
mars	juin	septembre	décembre

1. ...   2. ...   3. ...   4. ...   5. ...

B. C'est quel numéro? Répondez à la question que vous entendez avec la forme correcte du nombre ordinal.

MODÈLE: Vous entendez: C'est quel anniversaire?
Vous lisez: C'est son 18ᵉ...
Vous dites: C'est son dix-huitième anniversaire.
Vous entendez: C'est son dix-huitième anniversaire.

1. C'est leur 39ᵉ...
2. C'est sa 45ᵉ...
3. C'est la 24ᵉ...
4. C'est la 1ᵉ...
5. C'est le 11ᵉ...

C. Le calendrier de Michel Oberlé. Michel fait son planning pour le mois de décembre. Voici son calendrier. Répondez aux questions en phrases complètes.

LUNDI	MARDI	MERCREDI	JEUDI	VENDREDI	SAMEDI	DIMANCHE
1	2	3	4	5	6 *repas de Hannukah chez Albert*	7
8 *anniversaire de mariage de maman et de papa*	9	10	11	12 *concert avec Julie*	13	14
15	16	17 *anniversaire de Paule*	18	19	20	21
22	23	24	25 *Noël chez maman et papa*	26	27	28
29	30	31 *réveillon chez Julie*				

1. Noël a lieu dans quelle semaine du mois?

   _____

2. Hannukah a lieu dans quelle semaine du mois?

   _____

3. L'anniversaire de Paule, c'est quel mercredi du mois de décembre?

   _____

4. Quelle est la date du troisième samedi?

   _____

5. Quelle est la date du quatrième mardi?

   _____

6. Le réveillon a lieu dans quelle semaine du mois de décembre?

   _____

7. L'anniversaire de mariage de la mère et du père de Michel tombe sur quel lundi du mois?

   _____

Visionnement 1

A. **Que savez-vous?** Mettez les événements dans l'ordre chronologique.

_____ Antoine meurt (*dies*).

_____ Antoine quitte Paris et va dans les Cévennes.

_____ Bruno et Camille dînent ensemble au restaurant.

_____ Camille montre une photo d'Antoine à Louise.

_____ Les troupes nazies envahissent (*invade*) Paris. La France est occupée.

_____ Mado naît (*is born*).

B. **À propos des personnages**

Première étape. Écoutez l'histoire d'Antoine Leclair et de son travail dans la Résistance.

1939. En quatre semaines, l'armée française perd la guerre contre[1] l'Allemagne nazie. Le 17 juin, le chef[2] du gouvernement français accepte les conditions des Nazis et c'est l'Armistice. Certains Français sont heureux. La guerre, pour eux, est finie.[3] D'autres Français décident de former la Résistance. La guerre, pour eux, va continuer. Antoine Leclair, le mari de Louise et le grand-père de Camille, refuse l'Armistice. C'est un homme simple qui travaille avec ses mains; un ébéniste.[4] Il est catholique et démocrate, et il ne peut pas accepter les injustices des Allemands. Les Nazis persécutent les Juifs,[5] les communistes, les homosexuels et tous les gens[6] «différents».

Alors, Antoine commence à travailler avec la Résistance. D'abord, il est à Paris et il aide son ami Samuel Lévy à partir aux États-Unis. En 1940, Antoine quitte Paris. Louise n'a aucune[7] information sur le travail secret de son mari. Il lui envoie des lettres de différentes villes (Lyon, Marseille, Lille), mais il ne parle pas des activités de son groupe. Ces lettres sont si chères à Louise. La petite Mado comprend que sa maman adore son père et s'inquiète beaucoup pour lui.

1943. Pas de lettres pendant deux mois, et puis une petite lettre pour le quatrième anniversaire de Mado. Elle vient d'un village dans les Cévennes, Saint-Jean de Causse. Et après? Rien.[8] On a perdu la trace d'Antoine. Après la guerre, Louise apprend qu'il est mort[9] et qu'on l'accuse de trahison.[10] Elle est triste, mais elle pense à la petite Mado et elle continue sa vie…

[1]*against* [2]*leader* [3]*est… is over* [4]*woodworker* [5]*Jews* [6]*people* [7]*n'a… has no* [8]*Nothing* [9]*apprend… learns that he is dead* [10]*treason*

Deuxième étape. Écrivez une question pour chacune (*each*) des réponses données.

Vocabulaire utile: où, quand, qu'est-ce que, qui

MODÈLE: En 1939, les Français perdent la guerre *contre l'Allemagne*. →
Contre qui est-ce que les Français perdent la guerre en 1939?

1. En 1939, *les Français* perdent la guerre contre l'Allemagne.

_____

2. *Le 17 juin 1939,* le chef du gouvernement français accepte les conditions des Nazis.

_____

3. Certains Français décident de former *la Résistance.*

_____

4. Antoine est *le mari de Louise et le grand-père de Camille.*

_____

5. *Antoine* commence à travailler avec la Résistance.

_____

6. Antoine est *à Paris* quand il aide Samuel Lévy.

_____

7. Samuel Lévy part *aux États-Unis.*

_____

8. Antoine quitte Paris *en 1940.*

_____

9. Antoine envoie *des lettres* à sa femme, Louise.

_____

10. Antoine est *dans les Cévennes* à l'occasion du quatrième anniversaire de Mado.

_____

11. On a perdu la trace *d'Antoine.*

_____

12. Louise apprend *qu'Antoine est mort et qu'on l'accuse de trahison.*

_____

C. **Vous avez compris?** Considérez l'histoire d'Antoine et décidez si les phrases que vous entendez sont vraies, fausses ou si c'est impossible à dire.

	VRAI	FAUX	IMPOSSIBLE À DIRE
1.	☐	☐	☐
2.	☐	☐	☐
3.	☐	☐	☐
4.	☐	☐	☐
5.	☐	☐	☐
6.	☐	☐	☐
7.	☐	☐	☐

Prononciation et orthographe 🎧

Les consonnes /p/, /t/ et /k/

The differences between the English sounds /p/, /t/, and /k/ and their French equivalents are subtle but important. They have to do with aspiration and release.

Aspiration

Place the palm of your hand in front of your mouth and say the English word *pop*. You will notice a puff of air accompanying the initial *p*. This puff is called aspiration. Now pronounce the word *spot*, again placing the palm of your hand in front of your mouth. Notice that the consonant *p* in this case is not aspirated. There is no puff of air. That is because in English, /p/, /t/, and /k/ are aspirated in initial position, but in second position in consonant clusters (such as *sp*) they are not.

In French, however, /p/, /t/, and /k/ are *never* aspirated in any position. For example, a /p/ has a sound rather between an English *b* and an English *p*. Listen to the following contrasts and repeat after the speaker. Remember not to aspirate the /p/, /t/, and /k/ in the French words.

ENGLISH	pale	table	comb	esplanade	stage	scale
FRENCH	pâle	table	comme	esplanade	stage	escale

Release

Say the English word *pop* again, this time paying attention to the position of your lips and jaw when you have finished saying the word. You should notice that your lips remain closed. Your jaw does not move to "release" the consonant. That is because in word-final position in English, the sounds /p/, /t/, and /k/ are not fully released.

In French, on the other hand, when these sounds are in final position, they are *fully* released. Listen to the following contrasts and repeat after the speaker, remembering to release the final consonant.

ENGLISH	rap	set	sink
FRENCH	rap	cette	cinq

Spellings of the sounds /p/, /t/, and /k/

The sound /p/ can be spelled as **p** or **pp**.

    père /pɛʀ/   je m'**appelle** /ʒəmapɛl/

The sound /t/ can be spelled as **t**, **tt**, or **th**.

    re**porter** /ʀəpɔʀtɛʀ/   a**ttendre** /atɑ̃dʀ(ə)/   **théâtre** /teatʀ(ə)/

The sound /k/ can be spelled as **c** (except before **e**, **i**, **y**, or **h**) or as **k** or **qu**.*

    commerce /kɔmɛʀs/   **kayak** /kajak/   **quelques** /kɛlkə/

Note: The letter **c** before **e**, **i**, and **y** is sounded as /s/: **ici**, **ce**. In cases when the /s/ sound is needed from a letter **c** before **a**, **o**, or **u**, a cedilla is added to the **c**: français, ça va, nous commençons.

Écoutez et répétez. Listen to the following sentences and repeat them, imitating the pronunciation of the speaker as closely as possible. The letters pronounced as the sounds /p/, /t/, and /k/ are highlighted.

1. —Nous nous **p**romenons **t**rop! —**T**u as mal aux **p**ieds?
2. Je suis une fana**t**i**qu**e du s**p**ort: j'aime mieux jouer au foo**t**ball et faire du s**k**ate.
3. Voulez-vous **p**rendre de la **p**izza, du mou**t**on, une omele**tt**e, ou un **p**oulet fri**t**es?
4. Il fau**t** **p**ar**t**ir en vacances de **t**emps en **t**emps **p**our bien se re**p**oser.
5. Mon **p**ère est à l'hô**p**ital **p**arce **qu**'il s'est cassé l'é**p**aule **p**endant un ma**t**ch de **t**ennis.
6. Cha**qu**e ma**t**in, no**t**re cuisinière **p**ré**p**are du chocolat, un croissan**t**, et une **t**artine.
7. Les **p**rofessions **qu**i m'in**t**éressent sont: avoca**t**e, ar**t**isane, femme **p**ein**t**re, **p**a**t**ronne d'un res**t**auran**t**, conserva**t**rice de musée, com**p**table et ac**t**rice. C'est beaucou**p**!
8. On va **p**erdre la **t**ê**t**e avec **t**ous ces exem**p**les!

Structure 33

Le passé composé avec l'auxiliaire être
Narrating in the past

A. Dans le passé. Choisissez le verbe qui convient à chaque phrase et conjuguez-le au passé composé.

Verbes: descendre, devenir, mourir, passer, rester, retourner

1. Étienne est malade. Hier soir, il _____ à la maison et il a dormi.

2. Nous sommes très tristes. Notre grand-mère _____ le week-end dernier à l'âge de 90 ans.

3. J'ai oublié mon livre de maths et pour cette raison, je _____ chez moi le chercher.

4. Vous _____ par la Californie en allant à (*on the way to*) Miami? C'est bizarre!

5. Tout d'un coup (*All of a sudden*), Mireille _____ très malade et nous l'avons accompagnée (*took*) à l'hôpital.

Verbes: aller, entrer, monter, rentrer, sortir, tomber

6. Tu me demandes où est Gérard. Il _____ chez lui il y a vingt minutes parce qu'il doit travailler.

7. Ma petite sœur et moi, nous _____ au cinquième étage (*to the fifth floor*) pour rendre visite à une amie.

8. Les assiettes _____ par terre (*on the floor*). Elles sont cassées!

9. L'année dernière, tu _____ en Italie pour tes vacances, n'est-ce pas?

10. Vous _____ avec deux hommes hier soir et vous allez au restaurant ce soir avec un autre? Vous vous amusez, n'est-ce pas?!

Verbes: arriver, descendre, entrer, mourir, naître, partir

11. Joëlle et Thierry _____ du train à Vichy.

12. Le train _____ de Nice à 19 h hier soir et il

_____ à Amsterdam à 11 h ce matin.

13. Mes parents _____ en 1921. Ils ont plus de (*more than*) 80 ans.

14. Je _____ dans le bureau de mon patron.

B. **L'accord du participe.** Choisissez la forme correcte du participe passé pour compléter la phrase que vous entendez. Si les deux formes sont possibles, choisissez «les deux».

MODÈLE: Vous entendez: Tu es sorti(e) du cinéma après le film?
Vous voyez: sorti   sortie   les deux
Vous choisissez: sorti   sortie   ⟨les deux⟩

1. venu	venue	les deux	6. entré	entrée	les deux
2. allés	allées	les deux	7. parti	partie	les deux
3. mort	morte	les deux	8. arrivée	arrivées	les deux
4. montés	montées	les deux	9. nés	nées	les deux
5. revenu	revenue	les deux	10. retournés	retournées	les deux

C. **Hier comme aujourd'hui.** Julie fait la même chose tous les jours. Récrivez les phrases suivantes au passé composé pour expliquer que Julie a fait la même chose hier qu'aujourd'hui.

MODÈLE: Julie se réveille à 9 h aujourd'hui. →
Julie s'est réveillée à 9 h hier.

1. Julie se lève tout de suite aujourd'hui.

_____

2. Julie et son amie se dépêchent pour arriver à l'université.

_____

3. Julie et son chien (*dog*) Pete se promènent l'après-midi.

_____

4. Julie et ses parents s'intéressent à un documentaire à la télévision.

_____

5. Pete, le chien, s'endort à 23 h.

_____

6. Julie se souvient de ses devoirs à minuit.

_____

7. Alors elle se couche à 2 h.

_____

D. Le passé. Complétez chaque phrase en mettant le verbe au passé composé. Attention à l'accord du participe passé.

MODÈLE: Robert et moi, nous _____ (se tromper) de numéro. →
Robert et moi, nous nous sommes trompés de numéro.

1. Je m'appelle David et je _____ (se casser) la jambe.

2. Carlos et sa femme _____ (se disputer).

3. Est-ce que tu _____ (s'amuser), Christine?

4. Pascal et Thomas, en quoi est-ce que vous _____ (s'habiller)?

5. Les petites filles _____ (se brosser) les dents avant de se coucher.

6. Maman _____ (se reposer) après sa longue journée.

E. Le nouvel an. Christophe et ses amis ont fêté le réveillon et le nouvel an à La Nouvelle-Orléans cette année. Choisissez les verbes qui conviennent et mettez-les au passé composé. Attention à l'auxiliaire.

Verbes: aller, boire, descendre, organiser, prendre, voyager

Christophe et ses amis _____¹ à La Nouvelle-Orléans pour fêter

le réveillon et le nouvel an cette année. Christophe et Aïsha _____²

la voiture d'un ami. Anne et Jean _____³ en avion (*by plane*). Les

quatre amis _____⁴ dans un hôtel près du Mississippi. Pedro, un

ami de Christophe qui habite à La Nouvelle-Orléans, _____⁵ une

fête pour le réveillon chez lui.

Verbes: acheter, arriver, danser, s'embrasser, monter, passer

Anne _____⁶ la première parce que Christophe, Aïsha et Jean

_____⁷ au bar pour prendre un apéritif avant la fête. Christophe

_____⁸ du champagne. Pedro adore la musique et tout le

monde _____⁹ à la fête. À minuit, tous les amis

_____.¹⁰ C'était (*It was*) un réveillon magnifique!

F. Avoir ou être? Lisez chaque phrase et décidez si l'auxiliaire du verbe doit être **avoir** ou **être** au passé composé. Ensuite, écrivez la forme correcte du verbe.

1. Je (J') (descendre) _____ les verres pour mettre la table.

2. Nous (monter) _____ chercher l'appartement de notre ami.

3. Vous (sortir) _____ le fromage du réfrigérateur.

4. Ils (passer) _____ deux jours chez moi en avril.

5. Tu (sortir) _____ hier soir avec Giselle?

6. Elles (descendre) _____ au rez-de-chaussée et elles ne sont pas revenues.

7. Pierre (passer) _____ chez nous pour nous dire «au revoir».

8. Elle (monter) _____ les vieilles assiettes au grenier (*attic*).

G. Rien ne change! (*Nothing changes!*) Mettez au passé composé les phrases que vous entendez.

> MODÈLE: Vous entendez: Elle sort avec ses amis.
> Vous dites: Elle est sortie avec ses amis.
> Vous entendez: Elle est sortie avec ses amis.

1. …   2. …   3. …   4. …   5. …

H. Et vous? Comment est-ce que vous avez fêté le dernier réveillon et le nouvel an? Écrivez un petit paragraphe où vous décrivez au passé composé ce que (*what*) vous avez fait. Choisissez au moins (*at least*) trois verbes avec **avoir** comme auxiliaire et trois verbes avec **être** comme auxiliaire.

_____

_____

_____

_____

_____

_____

Structure 34

Depuis et pendant

Talking about time

A. Le temps passe. Choisissez la bonne réponse à la question que vous entendez.

> MODÈLE: Vous entendez: Est-ce qu'il habite au Canada?
> Vous voyez: Oui, pendant quinze ans.   Oui, depuis dix ans.
> Vous dites: Oui, depuis dix ans.
> Vous entendez: Oui, depuis dix ans.

1. Oui, pendant trois jours.   Oui, depuis trois jours.
2. Oui, pendant quelques semaines.   Oui, depuis quelques semaines.
3. Oui, pendant dix heures.   Oui, depuis dix heures.
4. Oui, pendant le dîner.   Oui, depuis longtemps.
5. Oui, pendant cinq ans.   Oui, depuis cinq ans.

B. Le temps. Complétez les dialogues suivants avec **depuis** ou **pendant**.

1. —Tu travailles ici _____ quand?

   —J'ai commencé au mois de septembre.

2. —_____ combien de temps est-elle cadre dans cette société?

   —Elle est cadre ici _____ 1989.

3. —D'habitude, elle reste en Italie _____ combien de mois?

   —Trois ou quatre.

4. —Tes enfants ne sont pas venus chez toi _____ longtemps, n'est-ce pas?

   —C'est vrai. Je ne les ai pas vus _____ cinq ans.

5. —J'ai beaucoup dormi _____ le film…

   —Mais, pourquoi? Tu ne l'as pas aimé?

6. —Vous avez joué au tennis _____ quatre heures? Êtes-vous fatigué?

   —Oui, je meurs de fatigue.

C. Questions. Vous allez interviewer un(e) autre étudiant(e). Écrivez des questions avec **pendant** ou **depuis** et les éléments donnés.

MODÈLE: combien de temps / tu / être / à l'université / ? →
Depuis combien de temps es-tu à l'université?

1. quand / tu / étudier / le français / ?

   _____

2. combien de temps / tu / étudier / hier / ?

   _____

3. qu'est-ce que / tu / faire / le week-end / ?

   _____

4. que / faire / tu / la dernière fois / que je t'ai vu(e) / ?

   _____

5. quand / habiter / tu / dans ton appartement (ou maison) / ?

   _____

D. Résumé de l'interview. Maintenant, inventez les réponses données par (*by*) l'étudiant(e) pendant votre interview, et écrivez un paragraphe qui les résume (*sums them up*).

_____

_____

_____

_____

_____

E. **Quand?** Écoutez la question et donnez une réponse logique avec **depuis, pendant** ou **il y a** selon le cas.

> MODÈLE: Vous entendez: Quand a-t-elle téléphoné?
> Vous voyez: deux minutes
> Vous dites: Il y a deux minutes.
> Vous entendez: Il y a deux minutes.

1. trente minutes
2. sept mois
3. six heures
4. hier
5. janvier
6. dix jours

F. **Vos activités habituelles.** Répondez aux questions suivantes en employant **depuis** et **pendant**.

> MODÈLES: Je fais du footing pendant quarante-cinq minutes tous les jours.
>
> Je parle espagnol depuis neuf ans maintenant.
>
> Je n'ai pas fumé (*smoked*) depuis sept ans.

1. Parlez de vos activités habituelles. Pendant combien de temps faites-vous ces activités normalement (*normally*)?

   _____

   _____

2. Depuis combien de temps est-ce que vous faites ces activités?

   _____

   _____

3. Qu'est-ce que vous n'avez pas fait depuis longtemps?

   _____

   _____

Regards sur la culture

Annonces matrimoniales

Des agences matrimoniales aident les gens à se rencontrer.ᵃ Est-ce que c'est une bonne façonᵇ de rencontrer l'homme ou la femme de sa vie? Y a-t-il des personnes ici qui sont compatibles?

ᵃà... *to meet each other*   ᵇ*way*

Qui est compatible? Lisez les petites annonces à la page 235 et essayez de former trois couples compatibles. Expliquez vos raisons.

1. L'homme No. 16440 voudrait bien rencontrer la femme No. _____ parce que

   _____

   _____

2. L'homme No. 12995 voudrait bien rencontrer la femme No. _____ parce que

_____

_____

3. L'homme No. 17402 voudrait bien rencontrer la femme No. _____ parce que

_____

_____

Rencontres
ANNONCES MATRIMONIALES

Tél: 01.45.68.76.92

mars – avril 2003

FEMMES

HOMMES

Ne cherchez plus, c'est moi! Grande, sportive et dynamique… pas trop modeste. 29 ans, femme ingénieur, célibataire, j'adore les voyages, les sports, l'amour. Vous êtes sensible, sportif, intelligent et plein de charme? Alors, c'est vous! No. 13496

J'adore nager,[a] jardiner,[b] cuisiner. J'aime les bons livres, les bonnes discussions et la bonne musique (mais pas le rock). 50 ans, interprète, divorcée, élégante et calme. Désire rencontrer un M. simple qui veut comme moi une vie calme et pleine de bonnes choses. No. 15827

Blonde aux yeux verts, très gentille selon ses amis. 31 ans, célibataire, comptable dans une grande entreprise parisienne. Adore la nature. Profond désir d'avoir une famille, de vivre en harmonie avec un H. agréable et de donner le jour à des enfants pleins de vie et de joie. No. 12998

Jolie jeune femme de 26 ans, elle a beaucoup de grâce, de charme et de beauté. Secrétaire, célibataire, c'est une jeune femme authentique, active et pleine de vie. Vous aimez le cinéma, les concerts de rock et les restaurants étrangers[c]? Elle vous attend! No. 16554

Il est beau,[d] très intelligent et il adore faire la cuisine. À 65 ans, il ne travaille plus et voudrait partager son temps libre avec une femme calme et sympathique. Vous aimez les plaisirs de la maison et les discussions intéressantes? N'hésitez pas! No. 16440

Pour lui, chaque jour est un jour plein d'aventures! Fonctionnaire, 31 ans, divorcé, amoureux de la nature, il a énormément de charme. Il va être, un jour, un mari merveilleux et un père attentif. No. 12995

Depuis son divorce, il travaille beaucoup trop, mais il voudrait bien retrouver la joie de vivre… avec vous. Ses passions? La cuisine exotique, la musique rock et les films de Woody Allen. Vous êtes jeune, jolie et charmante? Ce médecin de 35 ans vous attend! No. 17402

[a]*swimming* [b]*gardening* [c]*foreign* [d]*handsome*

Structure 35

Les verbes réguliers en -ir
Talking about everyday actions

A. Prononciation. There are three important things to remember about the pronunciation of regular **-ir** verbs.

1. As with many other verbs, the singular forms of regular **-ir** verbs all sound alike.

    je réfléchis tu réfléchis   il réfléchit

2. The difference between the singular **il/elle** form and the plural **ils/elles** form is clear from the final syllable of the verb. In the singular it is /i/; in the plural it is /is/. Listen and repeat.

    elle choisit elles choisissent

3. Since the past participle of regular **-ir** verbs ends in **i**, it sounds the same as the singular present-tense form. Therefore, it is important to be able to distinguish the use of the auxiliary verb so that you know the speaker is using a past tense. Listen and repeat.

    je finis   j'ai fini
    tu choisis tu as choisi
    il applaudit il a applaudi

Now listen to each sentence and repeat it aloud. Then circle the verb form you hear. Pay attention to both the pronoun and the verb. You will hear each sentence twice.

1. elle réfléchit elle a réfléchi   5. je choisis j'ai choisi

2. tu obéis tu as obéi   6. tu applaudis tu as applaudi

3. il réussit il a réussi   7. il choisit ils choisissent

4. je finis j'ai fini   8. nous applaudissons vous applaudissez

B. Quelques activités typiques. Créez des phrases au présent en employant les éléments donnés et le sujet que vous entendez.

  MODÈLE: Vous voyez: finir mes devoirs à neuf heures
      Vous entendez: je
      Vous dites: Je finis mes devoirs à neuf heures.
      Vous entendez: Je finis mes devoirs à neuf heures.

1. choisir le menu à dix euros?   4. obéir toujours à leurs parents
2. applaudir après un bon film   5. finir de parler à sa classe
3. réfléchir à ton avenir (*future*)?   6. réussir à finir cet exercice

C. Des actions de tous les jours. Complétez chaque phrase en utilisant l'impératif, le présent ou le passé composé d'un verbe de la liste.

Verbes: applaudir, choisir, finir, obéir, réfléchir, réussir

1. C'est un enfant sage (*well-behaved*). Il _____ toujours à ses parents et à sa maîtresse.

2. _____ bien aujourd'hui, parce que vous allez vivre (*live*) longtemps avec votre décision.

3. Vous _____ de travailler hier soir à minuit? Vous devez être fatigué!

4. Avec leurs deux bons emplois, ils _____ à acheter la maison de leurs rêves (*dreams*) l'année dernière.

5. Richard, ingénieur depuis vingt-cinq ans, _____ tout à coup (*suddenly*) à une nouvelle (*new*) profession.

6. Mon frère vient d'apprendre à jouer au bridge. Hier, nous avons joué et il _____ à toutes les règles (*rules*).

7. Le public a adoré ce film. On _____ à la fin!

8. D'habitude, nous _____ le plat du jour (*special of the day*) quand nous mangeons ici. C'est toujours délicieux!

9. Je ne vais pas t'attendre pour dîner. Tu _____ rarement avant neuf heures.

10. Un sandwich ou de la soupe? _____ vite (*quickly*) et je le prépare pour toi.

11. Bon travail! Très bien! Je t'_____!

12. _____ à maman, et elle va nous donner des bonbons!

D. Le présent, le passé. Écoutez la phrase au présent, et ensuite transformez-la au passé composé.

MODÈLE: Vous entendez: Béatrice obéit à ses parents.
Vous dites: Béatrice a obéi à ses parents.
Vous entendez: Béatrice a obéi à ses parents.

MODÈLE: Vous entendez: Seth ne finit pas ses devoirs.
Vous dites: Seth n'a pas fini ses devoirs.
Vous entendez: Seth n'a pas fini ses devoirs.

1. ...   2. ...   3. ...   4. ...   5. ...
6. ...   7. ...   8. ...   9. ...   10. ...

E. La vie universitaire. D'abord, écrivez des questions du type «inversion» avec les éléments donnés. Mettez le verbe au passé composé s'il est indiqué. N'oubliez pas d'utiliser des prépositions òu elles sont nécessaires. Ensuite, répondez aux questions.

> MODÈLE: pourquoi / vous / choisir (p.c.) / venir / à cette université / ? →
> Question: Pourquoi avez-vous choisi de venir à cette université?
> Réponse: Parce que les professeurs sont fantastiques.

1. pendant combien de temps / vous / réfléchir (p.c.) / cette décision / ?

   Question: _____

   Réponse: _____

2. pourquoi / vous / choisir (p.c.) / étudier / le français / ?

   Question: _____

   Réponse: _____

3. comment / vous / réussir / tous vos cours / ?

   Question: _____

   Réponse: _____

4. comment / vous / choisir / vos cours / ?

   Question: _____

   Réponse: _____

5. quel / choses / vous / réfléchir / pendant / un examen / ?

   Question: _____

   Réponse: _____

6. quand / vous / finir / un examen important, / que / vous / désirer / faire / ?

   Question: _____

   Réponse: _____

7. la plupart (*most*) des étudiants / obéir / règles de l'université / ?

   Question: _____

   Réponse: _____

8. vos profs et vos parents / applaudir / quand / vous / réussir / vos cours / ?

   Question: _____

   Réponse: _____

9. vous / réfléchir / la vie après l'université / ?

   Question: _____

   Réponse: _____

Visionnement 2

Après le visionnement. Considérez l'information culturelle dans le film et dans l'Épisode 11. Ensuite, regardez les photos et lisez les extraits. Entourez d'un cercle l'explication (ou les explications) culturelle(s) pour chaque extrait.

Explications culturelles

A. Dans un couple français, les deux personnes gardent (*keep*) leur indépendance.

B. Les hommes et les femmes veulent se plaire (*please each other*) même s'il n'y a pas de relation romantique.

C. Dans un couple français, on se taquine (*tease each other*) souvent.

D. Les adolescents français sortent souvent en groupe. Ils ne sortent pas souvent en couple.

CAMILLE: […] On va au restau? J'ai faim.

BRUNO: (*surpris et amusé*) Tu as faim? Je ne le crois pas! (*à tout le monde*) Eh! Eh oh! Appelez les photographes[a]! Là, vite, j'ai un scoop! Camille arrête son régime,[b] elle va faire un vrai repas! (*à Camille*) Ce n'est pas un scoop, ça?

[a]*photographers* [b]*arrête… is going off her diet*

1.   A   B   C   D

PATRONNE: (*sourit, amusée*) Tu regardes trop de sitcoms à la télé.

PATRON: Mais je ne regarde que toi, mon amour!

PATRONNE: (*riant*) Regarde plutôt[a] ta sauce! Elle brûle.[b]

[a]Regarde… *Better watch* [b]*is burning*

2.   A   B   C   D

ANTOINE: …Il y a toi et notre fille. Vous avez besoin de moi… et j'ai besoin de vous deux!

LOUISE: Tu dois faire ce qui est juste.°

°*right*

3.   A   B   C   D

À écrire

Une interview

Vous interviewez un chanteur ou une chanteuse célèbre (*famous*) à la télé.

Première étape. Préparez votre introduction, en notant certains faits (*facts*).

Identifiez cette célébrité (un homme ou une femme). _____

Comment est-il/elle physiquement? _____

Quelle est sa personnalité? _____

Il/Elle a à peu près (*about*) quel âge? _____

Pourquoi est-il/elle célèbre? (A-t-il/elle composé ou chanté une chanson célèbre? A-t-il/elle une voix originale? Fait-il/elle partie d'un groupe bien connu?…)

_____

Deuxième étape. Prenez des notes sur les réponses probables de cette personne aux questions que vous allez poser. Par exemple: les raisons pour son choix de profession et depuis combien de temps il/elle l'exerce; une description de ses tournées (*tours*) récentes—où il/elle est allé(e), combien de temps il/elle y a passé (*spent there*); s'il / si elle aime la vie d'une célébrité…

Notes: _____

_____

_____

Troisième étape. Maintenant, écrivez un court paragraphe d'introduction, suivi de (*followed by*) votre interview en forme de dialogue. Posez au moins (*at least*) cinq questions.

MODÈLE: Bonjour, tout le monde. Aujourd'hui, j'interviewe le chanteur célèbre Sting. Âgé d'à peu près 50 ans, ce chanteur blond, connu pour son engagement politique, va nous parler de sa carrière (*career*).
Q: Sting, pourquoi avez-vous choisi cette carrière?
S: Eh bien,…

_____

_____

_____

_____

_____

_____

_____

_____

Quatrième étape. Maintenant, regardez votre interview et cherchez des fautes d'orthographe, de ponctuation, de grammaire (par exemple, les accords sujet-verbe et substantif-adjectif, l'usage des temps de verbes) et de vocabulaire. S'il y a des fautes, corrigez-les.

Dossier culturel

A. **Les arrondissements de Paris.** Utilisez des liens sur **www.mhhe.com/debuts** ou des ressources imprimées pour faire quelques recherches sur les arrondissements de Paris. Expliquez (avec un plan si possible) comment la ville est divisée (*divided*) en arrondissements. Ensuite, choisissez un arrondissement et énumérez les principaux monuments et attractions qui s'y trouvent (*that are found there*). Pour chacun (*each one*) d'entre eux, donnez quelques informations historiques.

B. **Biographie.** Dans votre manuel scolaire à la page 246, on vous a présenté quelques personnages français importants. Choisissez-en un (*Choose one of them*), puis écrivez une biographie. Parlez des événements importants de sa vie personnelle et professionnelle. Comment cette personne a-t-elle influencé la vie moderne dans son domaine (*field*) ou en général?

C. **L'Histoire et le mythe.** Utilisez des liens sur **www.mhhe.com/debuts** ou des ressources imprimées pour faire quelques recherches sur l'histoire du Québec ou de Haïti. Créez une affiche qui montre les événements les plus (*most*) importants et présentez-la à la classe.